커피타는 고양이

커피타는
고양이

윤소해 지음

책들의정원

시간을 되돌리다

어떤 시간과 어떤 상황 속에서 불현듯 한 장면이 머릿속에 출현한 적이 있었다. 어쩌다 구조하게 되어 어쩌다 모두 품에 안게 된, 여섯 마리 반려묘와 함께 햇살이 내리쬐는 따뜻하고 아늑한 공간에서 함께 낮잠을 자는 풍경. 너무나 일상적이어서 쉬울 것 같은 장면이었지만, 이미 녹록치 않은 생을 걸어왔던 나는 뼈저리게 알고 있었다.

그 쉬워 보이는 일상의 단면은 이루자면 너무나 어려운 것이고, 그 평범한 일상의 한 줄기가 세상에서 가장 얻어내기 힘들다는 것을.

사람에게 치이고 사람에게 배신당하고, 그렇게 사람을 신물 날 만큼 겪고 토악질이 나올 만큼 사람이 싫어질 즈음이었다. 〈커피 타는 고양이〉의 아이들을 만나게 된 것은.

이 아이들과 살아온 지도 어느 덧 두 해가 흘렀다. 지금의 나는 그때 아이들과의 우연한 만남을 운명이라 일컫는다. 원래 만나기 로 설정되어 있던 운명이 아닌, 내가 선택하여 바꾸게 된 '운명'.

모든 정황과 상황들이 아이들과 삶을 함께하기에는 현실적으로 불가능했고, 또 그것이 서로에게 도움이 될 미래가 될 것인지조차 너무도 비관적이었던 그날.

나는 모든 것을 뒤엎었다. 나의 예상도, 사람들의 만류도, 현실 적인 불가능함도.

오히려 정해졌던 길이 있었을 지도 모르는 그때에, 하고 있던 많은 일도, 목까지 차올랐던 심장 떨리는 절박했던 꿈의 길도 내

던지고 나는 나의 모든 것을 걸고 정해져 있던 묵묵한 운명을 거슬렀다.

그리고 그것이 지금 내가 걷고 있는 이 길이며, 지금 내가 살고 있는 41마리와의 삶이다.

몇 번의 인터뷰와 수백 번의 질문 중 언제나 가장 처음으로 받는 질문이 있다.

"도대체 이 카페를 하게 된 이유가 뭔가요?"

2년 전에도 지금도, 여전히 가장 어려운 질문으로 남아 있다. 나에게 답이 없어서가 아니라, 하고 싶은 말이 너무나 많기 때문이다. 과연 이 질문을 건넨 상대방에게 나의 긴 이야기를 들어줄 인내심이 있을지….

언제나 그것이 가장 염려되었다.

나의 대답은 사실 간단하다.

"시간을 되돌리기 위해서… 그리고 카페를 그만두기 위해서…."

처음 이 고양이 카페에 손님으로 왔던 그날, 아무도 없는 낯선 그 공간에서의 장면을 기억한다. 처음 보는 사람에게 모두 우르르 몰려와서 다리를 훑고 지나가며 별처럼 빛나는 두 눈으로 나를 올려다보던… 20마리의 아이들이 이루던 부채꼴 모양의 진형을.

흘러내린 눈물이 굳어 시커먼 얼룩이 되어버린 얼굴로도 한없이 애교를 부리고, 피고름과 변을 줄줄 흘리면서도 나를 졸졸졸 따라오던 그 소리 없는 작은 발걸음들.

그것은,
아이들을 처음 보는 나에게도 형언할 수 없는 감정들을 울컥이게 하였다.

목구멍 너머로 비집고 나오는 감정들을 꾹꾹 눌러 담고, 한 마리 한 마리 쓰다듬어준 그날 이후…. 몇 날 며칠 카페 아이들은 꿈속에까지 찾아와 내 마음을 뒤흔들어 놓았다.

그리고 두 번째 방문했던 날, 나는 모든 지인과 가족의 만류를 뿌리치고 카페 아이들과 평생을 함께하기로 마음을 굳히기에 이른다.

인간에게 치이고 배신당하여 너덜너덜해진 심장으로,
토악질 나게 인간이 싫어졌던 나는,
사람들에게 시니컬했지만,

인간에게 버림받고 배신당하여 고통 받고 너덜너덜해진 몸과 마음임에도,
여전히 사람을 신뢰하고 따르던 20마리의 아이들은,
나와는 너무나도 대조적이었다.

인간에 의해 오게 되어,

인간에 의해 버려지고,

인간에 의해 방치되어,

인간에게 배신당했던 아이들은 그럼에도 불구하고 사람을 한없이 따르고 한결같이 애정했다.

그 바위 같은 한결같음이… 고양이를 알지 못하는 사람들은 절대 모를,

'한 번 준 마음은 결코 꺾지 않는' 고양이들의 일편단심과 그 고요하고도 깊은 애정이,

내 마음을 뒤흔들었고 내 인생을 송두리째 바꾸어놓았다.

아이들의 아픔과 아이들의 상처를, 이 아이들의 아픔으로 얼룩진 지난 시간을 보상해주고 싶었다. 상처밖에 남지 않은 아이들과 상처밖에 남지 않은 나의 시간을 되돌리는 것 그리고 마지막의 마지막에는 카페를 그만두고 남은 아이들과 함께 평화로운 여생을 보내는 것.

그래서 나는 아이러니하게도 카페를 그만두기 위해서 심장이 남아나지 않는 매일을 치열하게 카페를 지키며 버티고 있다.

그것이 내가 굳이 이 카페를 시작하게 된 이유이다.

- 이천십오 년, 일곱 번째 달, 여덟 번째 날 -

차례

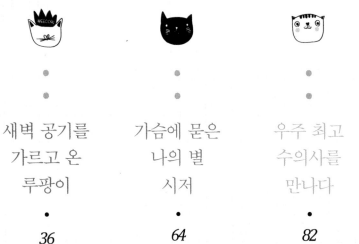

〈커피타는 고양이〉의
냥사마들을
소개합니다

* 노르, 티거, 코난, 퐁당이는
평생 가족을 만나 입양 가게 되었습니다냥.

까비 - 러시안 블루, 수컷, 5세

〈커피타는 고양이〉서열 1위. 카리스마 넘치는 평화주의 묘. 오래 참아주는 대신 한번 화나면 정말 무섭다. 누군가 은비를 건드리면 조용히 응징한다. 무뚝뚝하지만 속정이 깊다.

은비 - 러시안 블루, 암컷, 5세

조선시대 양갓집 규수같이 차분하고 조용한 성격. 하지만 까비와 마찬가지로 한번 화나면 무섭다. 까비보다 세다. 예뻐해주면 아련아련 열매를 먹은 듯한 눈빛과 꾹꾹이 안 마를 선사한다.

만두(아리) - 러시안 블루, 암컷, 4세 추정

한때 전 카페의 악명 높은 공격적인 고양이로 명성을 드높 였으나 현재는 시끄러울 때나 어린 집사들이 괴롭힐 때에 만 깨무는 시늉을 한다. 사실은 개그묘에 애교가 철철 넘 치는 귀여운 성격.

블랑 - 아비시니안, 암컷, 4세

___

처음에는 손도 댈 수 없을 만큼 매우 공격적인 아이였다. 그때와 너무나 다르게 늘어져서 잠을 자고 애교를 부리는 고양이가 되었다. 식탐 1인자. 간식 앞에서는 서열이고 뭐고 없다.

난 - 뱅갈(믹스), 암컷, 4세

___

겁 많고 무서운 게 많아서 먼저 공격해보지만 별로 위협적이지는 않다. 간식을 좋아하고 안기는 걸 싫어하지만 만져주는 것을 좋아하며 앙탈쟁이에 수다쟁이 아가씨.

하루 - 노르웨이 숲, 수컷, 4세

___

카페 인기 순위 1위 킹카묘. 서열로는 3위. 슈, 뮤를 필두로 카페의 거의 모든 암컷냥이들의 추종을 받고 있다. 풍성하고 길고 검은 털과 영롱한 눈동자의 소유자. 잘생겼다. 멋있다.

슈 - 노르웨이 숲, 암컷, 아마도 4세

하루를 그림자처럼 따라다니는 하루바라기. 심각한 구내염과 자궁질환으로 고생했지만 지금은 많이 건강해진 상태. 뮤의 언니. 조용한 걸 좋아하지만 하루가 움직이면 따라 움직인다. 가장 힘이 센 암컷냥이.

뮤 - 노르웨이 숲, 암컷, 아마도 4세

슈의 동생. 조용하고 소리 없이 움직이며 겁이 엄청 많고 이름을 부르면 대답한다. 슈와 함께 자궁질환으로 카페에서 가장 먼저 수술을 받았다. 현재는 건강함. 역시 하루를 무척 좋아한다.

체리 - 노르웨이 숲, 암컷, 4세

체리의 전 집사 이야기에 따르면 형제들 중 가장 예쁜 퀸 카묘. 애교 많고 사람을 좋아하며 간식도 엄청 좋아한다. 모든 고양이들과 잘 지내는 원만한 성격의 아이. 하물며 빗질도 좋아한다!

샴푸 - 터키쉬 앙고라, 암컷, 5세

양쪽 눈에 다른 색을 가진 오드아이. 장모의 터앙이며 카페에서 가장 겁이 많고 소용히 혼자 있는 것을 좋아한다. 항상 눈물이 고여 있다. 물티슈 뽑는 소리만 들려도 혼비백산하여 도망간다. 겁쟁이 순둥이. 선천적으로 귀가 잘 안 들린다.

무스 - 터키쉬 앙고라, 수컷, 5세

샴푸와 남매로 알려져 있으며 역시 선천적으로 난청이 있다. 목소리의 울림이 특이한 아이. 애교가 없고 느긋하며 무뚝뚝한 사나이지만 한번 마음에 점찍은 사람이 오면 조용히 근처에 가서 등을 보이며 앉는다. 밥이나 간식보다 잠이 더 좋은 아이.

바비 - 페르시안 친칠라, 암컷, 4살 추정

세상에서 자기가 가장 예쁘다고 생각하는 공주 냥이. 안기는 것과 목 언저리에 꾹꾹이 하는 것을 좋아한다. 오래 전 한쪽 눈 각막에 화상을 입어 백탁 현상이 있다. 앙탈쟁이에 늘 관심과 애정을 받고 싶어 하는 아이.

로이 - 페르시안, 수컷, 5세

손님들의 제보에 따르면 바비의 새끼냥이들의 아빠냥이었다고 한다. 정작 바비와는 친하지 않으며 모질과 표정 때문에 종종 개그묘로 낙인찍히곤 한다. 우유와 요거트가 섞인 손님의 음료를 탐하여 항상 사고를 치는 곳에는 로이가 있다.

요르 - 샴, 수컷, 5세

겁 많고 고양이보다 사람을 훨씬 더 좋아하는 애교쟁이. 관심을 조금이라도 기울여주면 쭙쭙이와 꾹꾹이 콤보 세트를 경험할 수 있다. 안고 있으면 상의가 침으로 축축해지는 것이 함정.

레오 - 뱅갈, 수컷, 5세 추정

가장 많은 팬을 거느린 〈커피타는 고양이〉의 접대 (거)묘. 카리스마 있어 보이지만 전혀 없고 사납고 무서워 보여서 서열이 높을 것 같지만 전혀 그렇지 않다. 사람을 엄청 좋아하며 손님이 없는 날에는 오도카니 문 앞에 앉아 사람을 기다린다. 카페에서 제일가는 덩치이자 순둥묘.

먼지 - 봄베이, 암컷, 9세 추정

들은 이야기에 의하면 짜루와 남매로 전 카페에 맡겨졌다고 한다. 기존 카페 아이들 중 가장 나이가 많고 가장 사람을 잘 따른다. 레오와 함께 카페에서 많은 사람을 받는 애교쟁이.

짜루 - 봄베이, 수컷, 9세 추정

먼지와 남매이며 서열 2위. 카페의 제일가는 무릎냥이, 애교쟁이, 개냥이 담당. 사람을 매우 좋아하며 특히나 남자를 잘 따른다. 한때 권력욕에 불타올라 까비에게 덤볐으나 은비를 공격한 일로 까비에게 어마무시하게 대가를 치른 후 조용히 2위로 만족하며 지내고 있다.

엘리 - 브리티쉬 숏헤어, 암컷, 4세

귀여운 외모와 달리 까탈스러우며 앙탈을 부리는 제멋대로 공주냥. 애교도 많고 부르면 도르르 달려오지만 안기는 것은 질색하는 취향 확실한 아이.

카이 - 아메리칸 숏헤어, 수컷, 4세

선명한 무늬의 매력적인 코트를 입은 아이. 애교가 많고 사람을 좋아하지만 가장 좋아하는 것은 역시나 간식! 간식 꺼내는 소리만 들려도 어느샌가 눈앞에 와 있다. 식탐 많은 순둥이. 한번 눈길을 주고 예뻐해주면 계속 따라와서 애교를 부린다.

시저 - 노르웨이 숲, 수컷, 4세 추정

2015년 3월 1일 새벽, 2년간 복막염으로 투병 끝에 별이 된 아이. 카페 한 켠에 시저의 넋이 담겨 있다. 물기 많은 간식을 좋아하며 한 명의 집사만을 바라보는 해바라기 같은 사랑스러움과 귀여움도 지녔었다. 루팡이를 매우 예뻐하며 보듬어주던 착한 심성의 아이.

나비 - 터키쉬 앙고라, 수컷, 2세

2013년 8월 카페에 온 미모가 출중한 아이. 평소에는 조용한 듯 보이지만 기본적으로 장난기 가득하고 똘끼 충만한 개구쟁이에 때로는 말썽쟁이. 캣 휠을 전력 질주하면서 몸매 관리(?)를 즐긴다. 유일하게 목욕과 빗질, 드라이 해주는 걸 좋아하는 고양이답지 않은 아이.

노르 - 노르웨이 숲, 수컷, 2세

나비와 비슷한 시기에 남매인 웨이와 함께 맡게 된 솜뭉치 같은 아이. 어린 시절 선천성 희귀질환으로 대수술을 받았다. 지금은 건강해진 상태. "뽀뽀~" 하면 뽀뽀해준다. 순하고 착하고 영리하며 귀염둥이로 단점을 찾아보기 힘든 천사냥이.

웨이 - 노르웨이 숲, 암컷, 2세

노르와 남매이며 항상 노르와 세트처럼 붙어 다닌다. 보들보들한 털 결이 일품이며 꿀 바른 듯한 외모에 애교를 겸비한 사랑스러움 그 자체! 한 번 보면 반할 수밖에 없는 예쁘고 성격 좋은 아이. 약간 억울해 보이는 생김새가 보호심리를 자극하여 사랑스러움 극대화 장전!

탱구 - 코리안 숏헤어, 수컷, 2세

짜장이와 함께 비슷한 시기에 각각 다른 사람에게 구조되어 한 사람에게 입양을 갔다가 카페에 임보(임시보호) 온 채 파양되어 결국 카페에 버려진 아이. 길냥이 출신답게 폭풍 식탐을 가졌으며 처음 카페에 왔을 때 토할 때까지 먹다 토하기를 반복하다가 3일이 지나서야 밥이 늘 있다는 걸 알고 조절하게 된 가여운 아이.

짜장 - 코리안 숏헤어, 수컷, 2세

도로변에서 교통사고로 숨진 어미묘 곁을 지키며 하염없이 핥아주고 울고 있던 새끼냥이 시절 탱구를 입양한 집사에게 둘째로 입양된다. 탱구와 함께 카페에 임보 된 후 파양되어 버려졌다. 엄마 뒤를 졸졸 따라다니는 '엄마쟁이'로 유명하다. 동생들을 잘 돌보는 어른스러움도 지닌 팔방미인냥이.

티거 - 코리안 숏헤어(믹스), 암컷, 3세

어미냥이와 함께 입양 갔다가 입양처에서 방치되어 구조된 아이. 연한 톤의 신비한 삼색코트를 입은 아이로 카페에 왔을 당시 식음을 전폐했으나 곧 카페의 식탐 1인자로 거듭나게 된다. 외모와 달리 싸움꾼 기질도 가지고 있다.

로또 - 코리안 숏헤어, 암컷, 2세

2013년 겨울, 신 집사에 의해 구조되었다. 어릴 때부터 건강이 좋지 않아 병원 입원이 잦았다. 이후 건강하고 통통하게 자라 귀여운 이미지를 풍기지만 기본적으로 겁이 많고 두려움보다 식탐이 많은 편.

미륵 - 코리안 숏헤어, 암컷, 2세

'미륵보살의 마음으로 받아들이자'라고 체념하여 미륵이라는 이름으로 불림. 처음엔 손님들이 모두 입을 모아 '토끼아냐?' 할 정도로 작고 동글동글했다. 소심해서 오직 간식이 있을 때만 근처까지 쭈뼛거리며 다가온다. 두려움보다식탐이 크고 식탐보다 장난감을 더 좋아하는 특이한 아이.

라떼 - 코리안 숏헤어, 수컷, 1세

2014년 여름, '쓰레기봉투 구조묘' 중 유일하게 살아남은 아이. 우주가 자신을 중심으로 돌고 있다고 생각하며 심지어자신이 사람인 줄 안다. 흘러내리는 듯한 포즈로 자는 것을좋아하여 한때 '라떼 액체설'이라는 우스갯소리가 나오기도. 직접 수유하여 키운 첫 고양이. 〈커피타는 고양이〉는 라떼로 인해 많이 알려지게 되었다.

루팡 - 코리안 숏헤어, 수컷, 11개월

현재 복막염으로 투병 중이며 단 한 번도 말썽을 부린 적이없고 사람을 힘들게 하지 않는 천사 같은 심성을 가졌다.자묘 때부터 투병이 시작되어 약을 먹다보니 간식을 못 먹고 자라 식탐이 유달리 강하다. 눈치도 체념도 빠르다.

퐁당 - 코리안 숏헤어, 암컷, 3개월

2015년 6월 17일 저녁. 태어난 지 얼마 안 되어 상자에 담겨 카페 문 앞에 버려졌다. 직접 인공 수유하여 키웠으며 현재 캣초딩으로 건강히 자라고 있다. 세상 모든 것이 재미있고 모든 것이 궁금한 호기심 충만 캣초딩 꼬마. 한 성격 하신다.

코난(밀당) - 코리안 숏헤어, 수컷, 5개월

2015년 7월 1일 파랑새 보배 님과 규연 님 푸른창공 님의 도움으로 구조된 새끼고양이. 입맛이 까다롭고 앙탈도 심하다. '엄마쟁이'의 기운이 느껴지는 중. 퐁당이와 항상 붙어 다니며 먼저 장난을 걸지만 늘 퐁당이에게 진다. 하루 종일 뛰어다니는 에너자이저 캣초딩.

단추 - 코리안 숏헤어, 수컷, 5세 추정

2015년 9월 푸른창공 님이 구조한 아이. 현재 입양 전까지 카페에 임보 와 있다. 백내장으로 오른쪽 눈에 시력이 없으며 청력이 좋지 않다. 사자를 닮은 독특한 외모를 풍긴다.

상시르(상실) - 코리안 숏헤어, 암컷, 8세

나의 첫 반려묘로 굴곡 많던 집사 인생을 함께 견디어준 착하고 심성 고우며 성숙한 영물. 꼬질이의 아이들이었던 돈뭉치 남매들과 유키의 형제들까지 11마리 새끼고양이들을 보듬고 길러준 대모. 깔끔하고 평화로운 것, 조용한 것을 좋아하며 카리스마와 리더십이 출중한 사람 같은 고양이. 집사 팔을 베고 자는 것을 좋아한다.

유로 - 코리안 숏헤어, 암컷, 6세

2009년 여름, 직접 구조한 꼬질이의 첫 아이들인 '돈뭉치 남매' 중 첫째. 새끼냥이 시절 유로화 무늬가 등에 있어서 유로라는 이름을 가지게 되었다. 활달하고 애교 많은 아이였지만 나이가 들면서 조용하고 차분해졌다. 만성 장 질환으로 장기 치료 중이다.

엔 - 코리안 숏헤어, 암컷, 6세

돈뭉치 남매 중 둘째. 새끼냥이 때부터 가운데로 몰린 눈 때문에 귀여운 이미지를 풍긴다. 항상 사고의 한가운데 있는 말썽쟁이 동생 루블이의 보호자 역할을 자청한다. 루블이가 가는 곳에 잔소리하며 젤리 솜방망이를 날리는 엔이 있다.

루블 - 코리안 숏헤어, 수컷, 6세

돈뭉치 남매 중 셋째. 새끼냥이 때부터 천방지축에 생각이 약간 모자라다. (ㅜㅜ) 왠지 모르게 거의 모든 암컷 고양이들에게 미움을 받는다. 게으르며 먹는 것보다 자는 것을 훨씬 더 좋아한다.

센트 - 코리안 숏헤어, 수컷, 6세

돈뭉치 남매 중 넷째. 3일 만에 파양된 경험이 있다. 그 뒤로 겁 많고 소심하고 사람을 무서워한다. 파양의 경험으로 인해 이동장을 극도로 싫어하며 어둡고 조용한 곳을 좋아한다. 친형제들보다 깨순, 남이와 더 친하다.

유키 - 터키쉬 앙고라(믹스), 수컷, 6세

돈뭉치 남매 다음으로 태어났던 꼬질이의 두 번째 아이들 중 유일하게 입양을 못 간 아이. 꼬질이의 제왕절개수술로 살려낸 두 꼬물이 중 마지막 한 마리. 앙탈이 심하고 애교가 많으며 까칠한 주제에 무릎냥이인 반전묘. 무언가 맘에 안 들면 깨문다. 구내염과 결석으로 치료 중.

헤이즐 - 렉돌(믹스), 암컷, 2세 추정

2015년 9월 직접 울산보호소에서 데려온 아이로 안구적출 수술을 받았다. 한쪽 눈이 없지만 한눈에 보아도 눈에 띄는 초미묘. 눈이 영롱하여 사람들의 시선을 사로잡는다. 영리하며 싸움에서 밀리지 않을 만큼 한 성격한다. 이름을 부르면 금세 표정이 화사해지면서 뛰어오는 아이.

깨순 - 코리안 숏헤어, 암컷, 7세

신 집사의 두 번째 반려묘로 7년 전 구조되었으며 완벽한 대칭의 턱시도를 챙겨 입고 양말도 예쁘게 신고 있는 아이. 오직 신 집사에게만 꿀 바른 애교를 부리는 일명 '아빠쟁이'. '고양이란 이런 것이다'의 전형을 보여줄 만큼 고양이스러운 모든 것을 갖추었다.

남이 - 코리안 숏헤어, 수컷, 8세

깨순이보다 1년 앞서 신 집사에 구조된 신 집사의 첫 번째 반려묘. 겁이 엄청 많으며 엄살도 심하고 이동장에 들어가면 어마어마하게 울어댄다. 센트처럼 이동장 극혐파. 오직 신 집사만 바라보며 졸졸졸 따라다닌다. 미련할 정도로 해바라기인 성격을 가졌다.

〈커피타는 고양이〉의
집사들을
소개합니다

신 집사 - 남자 사람, 30대 후반

사실은 팬 카페도 있는 만화가. 평화롭게 조용한 삶을 누리다가 어느 날 갑자기 〈커피타는 고양이〉에 도움을 준 죄로 어이없이 강제 소환되었다. 카페의 시설과 집기, 음료를 전담 중. 조용하고 차분하며 냉정한 성격의 소유자. 음악과 만화와 고양이를 사랑한다. 특정 장르에서 천재적인 능력을 보이는 비범함을 가졌으며 독학으로 모든 것을 배우는 사람. 지금의 카페를 설계하고 직접 만들기도 하였다. 〈커피타는 고양이〉와 함께하면서 만화가로서 삶이 기약도 없이 중단되었다.

윤 집사 - 여자 사람, 30대 초반

사실은 예술이 전공인 러시아 유학파. 한국에 돌아온 지 몇 해 안 되어 어느 날 갑자기 〈커피타는 고양이〉의 아이들을 만나 인생이 송두리째 바뀌었다. 현재 유기묘 카페 〈커피타는 고양이〉를 운영 중. 기본적으로 까칠하고 까탈스러우며 편식이 심하고 건강 상태가 매우 불량하면서 게으른 사람. 스스로 만드는 모든 것과 커피와 영화, 피아졸라와 반도네온, 검도 그리고 고양이를 사랑한다. 토종 한국 사람인데도 한국어가 어렵고, 술을 좋아하지만 이젠 술은 한 잔도 못 마시며, 알러지와 천식이 있지만 40마리가 넘는 고양이와 함께 살고 있는 모순덩어리.

이제 우리 카페 이야기를
시작한다옹. 잘 읽어주라옹.

새벽 공기를 가르고 온 루팡이

오늘도 어김없이 새벽 두 시가 넘어버린 시간. 말없이 터덜터덜 내딛는 아무도 없는 골목에 두 사람의 묵직한 발걸음소리만 울린다. 속으로 중얼중얼 나는 생각했다.

'다 치우고 청소하고 나서 자려면 또 네 시가 넘겠네. 내일은 또 어찌 버티고 살지.'

오전 10시에 시작해 새벽 두 시가 넘어서야 비로소 끝나는 카페의 하루 일정은 사실 퇴근 후부터 또다시 시작된다. 옥탑방에 분리되어 있는 다섯 아이들을 다 챙겨주고 나면 또 뉘엿뉘엿 새벽 다섯 시가 가까울 것이다. 둘 다 양손 가득 카페의 빨래들을 늘어지게 들고서 신 집사도 나도 말이 없었다.

벌써 1년이 넘었는데도 앞길은 캄캄하고 미래는 보이지 않는다. 목 뒤에 뻐근하게 나를 조여 오는 대출금과 미수금의 압박을 알알이 정면으로 마주하고 있는 요즈음… 체력은 다 소모되어 타 버렸고 마음은 너덜너덜 헤지고 구멍 나 버렸다.

고요한 새벽 공기를 가르고 귓속을 파고드는 울림에 둘 다 약속이나 한 것처럼 옆 건물 주차장 어귀에서 멈추어 섰다.

"… 아직 한참 어린 새끼인 것 같은데?"
"그런 것 같네. 어미가 먹을 걸 구하러 나갔나."

이리저리 살펴봐도 어둠속엔 말없이 침묵만이 차갑게 공기를 감싸고 있었다. 한동안 서 있다가 조용한 침묵에 안심하며 이내 발걸음을 재촉했다. 아직 해야 할 일들은 끝나지 않았고 잠 잘 시간조차 없는 매일이었으므로.

옥탑방으로 헉헉대며 올라간 뒤 신 집사와 나는 각자 할 일을 분주하게 하기 시작했다. 세입자들의 '소음으로 불편하다'라는 메모가 현관문에 붙어 있던 뒤로는 세탁기도, 청소기도 이 시간엔 돌리지 않았다. 그래서 최대한 조용히 쓰레받기와 빗자루로 쓸고 닦고 전날 출근 전에 돌려놓은 빨래를 널고 카페 아이들의 오줌이 가득 배인 빨래들은 세탁기에 넣어둔다.

매일 이불 빨래와 씨름하고도 옥탑방의 미륵이가 연이어 이불에 소변을 보는 바람에 빨래는 가득히 산처럼 쌓여 있었고, 카페 일정을 다 마치고 나면 어김없는 새벽 시간이라 단 하루도 쉴 틈이 나지 않았다.

　찬바람이 부는 때가 오면 카페 아이들의 잔병치레가 급증하여 자연히 동물병원 내원도 많아지고 병원비도 수직으로 상승한다. 11월이 시작되고 작년에 겪었던 지옥 같은 경험들은 나를 좀 더 단단하게 만들기도 하였다. 올해도 어김없이 시작된 카페 아이들의 기관지염 비상으로 신 집사와 나는 돌이가며 카페에서 아이들과 함께 자며 케어하는 일상이었고 그날도 역시 신 집사는 조금 후면 다시 카페로 돌아가는 일정이었다.

　둘 다 등에 먹구름을 한 짐 짊어진 것 마냥 푹, 푹, 땅속으로 꺼지는 피로와 싸우면서 할일들을 꾸역꾸역 다 마치고 난 후에야 비로소 간단하게 끼니를 준비하고 주섬주섬 먹기 시작할 무렵이었다. 또다시 시간을 뚫고 귓속을 후벼 파는 울음소리가 들려왔다.

　"에오옹~ 에옹~!"

　수저 소리가 정지되고, 신 집사도 나도 귀를 곤두세우니 이내 목소리는 점점 커져갔다.

　"저렇게 울면… 해코지 당할 텐데."

"그러게… 내려가서 보고 올게."

먼저 끼니를 다 때운 신 집사가 살펴보고 오겠다며 일어섰다. 나도 얼른 일어나 가방 속에 늘 있던 닭가슴살을 꺼내어 들려주며 당부했다.

"가서 이거라도 까주고 배 좀 달래주고 와. 저렇게 울다가 변이라도 당할까봐 걱정이다."
"알겠어."

밥이 어디로 들어가는지도 모르게 젓가락을 멈춘 채 밖에서 나는 소리에 집중했다. 어딘가에서 잠에서 깨어 짜증 섞인 말을 하

지는 않는지 사람들이 오가는 소리가 나는지…. 결국 먹는 둥 마는 둥 하다가 옥상으로 나가 살펴보았다. 불이 켜진 집이 있나, 혹시라도 누가 지나가진 않나.

이윽고 신 집사가 숨을 몰아쉬며 찬 공기와 함께 올라왔다. "뒷모습만 봤는데 두 달쯤 되어 보였고, 소리 나는 곳으로 다가가서 보려고 하면 숨기 바쁘고 도망치기만 해서 닭가슴살을 뜯어 차 밑에 던져주고 왔어"라고 했다. 걱정은 마음속에서 점점 번져오고 내내 지워지질 않았지만 차츰 잦아든 울음소리에 어미가 왔나 보다 하며 안도했다. 이후 먹은 그릇들을 치우고 나서 정리를 마치고 나니 이미 네 시를 넘은 시간. 여지가 없었다.

신 집사는 코트를 다시 휙 걸치며 카페로 돌아갔고, 배웅하고 난 뒤에도 나는 한참동안 옥상에서 왔다 갔다 하며 서성였다. 발걸음이 쉽게 떨어지지 않았지만 다행히 고요한 새벽 공기뿐이라 그제야 긴 한숨을 내쉬며 잘 준비를 하기 시작했다.

몸은 천근만근. 매번 느끼는 것이지만 내 몸 하나 간수하는 게 가장 힘들다. 왜 이리 내 몸 하나 씻는 것도 힘이 드는 건지. 카페와 아이들과 함께한지도 어언 1년이 넘었지만 첫 해에 모든 에너지를 소모했던 것인지 바닥난 체력은 도무지 돌아올 기미가 안 보였다.

작년 이맘때쯤 급성 천식 발작이 와서 산소 포화도가 급격히 떨어져서 호흡곤란인 위험한 상태로 응급실에 실려 갔다 나온 뒤 나는 내 생에 처음으로 생각이 바뀌었다.

힘들게 버티며 '사는 것'보다 '죽는 것'이 더 두려워진 것이다. 그 두려움은 '아이들만 남기고 떠나게 된다'라는 견딜 수 없는 불안과 공포에서 기인했다. 약과 흡입기 등을 매 순간 챙기면서 나름대로 내 몸을 처음으로 돌보기 시작하게 된 것은 순전히 그 때문이었다.

옥탑 다섯 아이들을 모두 챙기고 잘 준비를 마친 후 크게 숨을 한 번 내쉬며 "에구구. 에구"를 연발하며 엉금엉금 일어나 씻고 약을 챙겨먹고 가습기에 물을 채워 넣고 누웠다. 눈을 감았다가 벌떡 일어나 가방 속에서 흡입기를 챙겨 손이 닿는 머리맡에 두고 나니 그제야 마음이 놓였다. 스륵스륵 잠이 눈꺼풀로 상륙하던 즈음, 30분 정도가 흘렀을까. 또다시 눈이 번쩍 떠지고야 말았다.

"에옹! 에에에옹!!"

아까처럼 잦아들겠거니 하며 다시 눈을 감아보았지만, 새끼고양이의 울음소리는 점점 커지기 시작했고 옆집에서도 중얼거리는 소리가 나기 시작했다. 내려가 봐야 하나 고민하던 순간, 믿기지 않는 고함 소리가 들려왔다.

"아! 시끄러워 잠을 못 자겠네!!! 내 야구 빠따 어디 갔어! 내이 도둑고양이 새끼들 다 잡아 죽여버릴라니!"

자리에서 90도로 로보트처럼 삐끄덕 하고 튕겨져 일어났다. 생각할 겨를도 없이 부엌에 씻어 놓은 햇반 그릇 하나와 간식 캔을 호주머니에 넣자마자 문을 잠그고 파자마 바람으로 달려 내려가기 시작했다.

숨을 몰아쉬며 새끼고양이를 찾았다. 아니나 다를까, 옆 건물 1층 주차장에 새끼고양이 한 마리가 오도카니 건물 현관을 등지고 앉아 울고 있었다. 맞은 편 차 근처에선 어미로 보이는 턱시도 고양이가 그러거나 말거나 울음소리에 반응 하나 없이 털을 핥고 있었다.

'이게 뭐지?' 하면서도 머리를 설레설레 저으며 얼른 캔을 까서 그릇에 담아 앞에 놓아두니 어미고양이는 쏜살같이 달려와 엄청난 속도로 먹기 시작했다. 가만히 보니 옆 골목에서 가끔씩 간식을 챙겨주곤 했던 임신묘인 것 같았다.

보는 것도 잠시, 먹는 속도는 줄어들지도 않고 새끼는 연신 어미와 그릇과 나를 번갈아 보며 눈물 그득한 눈망울로 계속 울고 있었다. 그 울음소리에는 참을 수 없는 굶주림이 진하게 배어 있었다. '아까 까준 닭가슴살도 온데간데없이 어미만 먹었겠구나'라는 생각이 들자마자 그릇을 얼른 빼내어 새끼고양이를 달래며 부르기 시작했다.

"츠츠츠, 이리 온. 어서 와서 먹어. 네 엄마가 다 먹을 기세다. 얼른."

새끼고양이는 두려움 가득한 표정으로 나와 간식캔이 약간 남아 있는 그릇을 번갈아보며 주춤거렸다.

"얼른 와서 먹자. 배고프잖아. 츠츠츠. 얼른! 지금 이럴 때가 아니야. 얼른 먹고 숨어야 해!"

한참을 망설이며 나와 그릇을 번갈아보던 새끼고양이는 역시나 배고픔이 두려움보다 컸는지 쭈뼛거리며 비틀비틀 걸어와서는 조심스레 그릇에 코를 대었다. 그리고는 이내 허겁지겁 숨도 안 쉬고 먹기 시작했다.

고양이의 사랑을 받는 것보다
더 큰 선물은 없다고 했지만,
우린 윤 집사님의 사랑을
넘 많이 받았다냐옹.

먹는 모습을 하염없이 보면서도 위층에서 나는 소리에 초긴장 상태로 신경을 곤추세우고 있었다. 한 눈에도 들어오는 비쩍 마르고 한 줌 남짓 되는 작은 몸의 새끼고양이를 보니 안쓰러움에 마음이 시큰거렸다.

"아효… 얼마나 못 먹었으면 이리 말랐니. 얼른 먹자. 츠츠츠. 잘 먹네."

눈시울이 붉어져왔다. 아무 죄 없이 이 땅에 오게 되어 굶는 것이 부지기수인 피폐한 삶에 던져진 이 힘없는 조그만 아이들이 뭐가 그리도 해악이라고…. 입에 담을 수도 없는 잔인한 일들을 당하고 고통 속에서 짧은 생을 마감하게 되는 끊이지 않는 사건들과 그러한 삭막한 분위기를 만들어낸 사회와 현실이 너무나도 슬픈 것이었다.

바꾸기엔 너무나 깊숙이 고착화되어 있는 고양이에 대한 오해는 늘 무지에서 비롯된 것인데 함께 사는 이 세상에 이다지도 작은 생명을 어쩌면 이렇게나 잔혹하게 다룰 수 있다는 말인가. 사람이 어찌 그러할 수 있다는 말인가.

생각도 잠시. 얼른 다른 주머니에 있던 캔을 하나 더 까주니 주춤거리면서도 고롱고롱 노래를 부르며 맛있다고 읊어대며 열심히도 먹고 있었다. 위에서는 한창 방망이를 찾고 있는 것인지 계속 다투는 소리가 들려왔고 언제 들이닥칠지도 모르는 긴박한 상황 속에서 심장이 벌컥벌컥 요동치고 있었다.

순간 묘하게 뒷덜미가 서늘해져왔다. 이상한 느낌에 슬며시 뒤를 돌아보니 얼마쯤 떨어져 있는 어둠 속에서 아저씨 하나가 비틀비틀 약주를 거하게 한 모양새로 걸어오고 있었다.

"나비야, 나비야. 이리 온."

의심의 여지가 전혀 없을 말과 판이하게 다르게도 아저씨의 오른손에 들려 있는 물체가 나를 소리 없이 경악케 했다.

"나비야. 나비 시키. 이 도둑괭이 새키. (딸꾹) 어디 갔어. 이리 나와 봐!"

아저씨의 손에 들려 있던 것은 붉은색 벽돌 한 개였다.

'도대체… 벽돌은 왜.'

그 순간 나를 발견했는지 아저씨가 내 쪽을 향해 오기 시작했고 상황을 가늠하기 훨씬 앞서 몸이 먼저 움직였다. 코를 박고 골골 노래를 부르며 찹찹찹 간식 캔을 먹고 있는, 이제 무슨 일이 일어날지 전혀 모를 천진난만한 새끼고양이가 있는 차 밑을 다리로 가린 채 등지고 돌아서서 몸으로 막고 있었다. 그때 내가 무슨 생각이었는지는 지금도 전혀 모르겠다. 다만 손바닥보다 작은 이 새끼고양이를 어떻게든 살려야겠다는 본능이 움직인 것 같다.

정신을 차리고 보니 등줄기를 타고 식은땀이 흘렀고 이미 아저씨의 뒷모습이 보이고 있었다. '대체 내가 무슨 소릴 지껄인 거지?' 한참 되짚어보니 넉살도 좋게 배실배실거리며 "어르신~ 아이고 어르신~" 하면서 연신 달래고 말라비틀어진 겨울 하늘에 무슨 소나기가 쏟아진단 예보가 있다는 얼토당토 않는 소리 따위를 지껄이다가 마지막에 "감사합니다" 하며 꾸벅 인사까지 했던 것이다.

멍해진 상태로 내려다보니 내 손에는 구렁이 담 넘어가듯 낚아챘던 붉은색 벽돌이 쥐어져 있었다. 아저씨의 손에 들려 있던 붉은색 벽돌. 멍하니 벽돌을 바라보다가 불현듯 얼른 차 밑을 살펴보니 새끼고양이는 얼음처럼 굳어 잔뜩 움츠린 채 왕방울만해진 두 눈으로 나를 올려다보고 있었다.

"쉬, 쉬, 츠츠츠. 조용히 잘 있었네. 괜찮아. 아무 일 없어. 얼른 먹자. 사람 또 오기 전에."

나를 올려다보던 새끼고양이는 이내 조금씩 다시 먹기 시작했고 그릇은 거의 비워져 가는 상태였다. 벽돌을 들고 있는 내 손 아래로 희미하게 새끼고양이의 모습이 겹쳐졌다. 벽돌보다 작은, 겁 많고 아무것도 모르는 새끼고양이. 대체 이렇게 작은 한 마리를 어디 때릴 데가 있다고…. 무작정 벽돌과 방망이를 찾아들고 나서는 인간들은 도대체 뭐란 말인가.

목이 메어오고 퍼석하게 마른 침을 삼키니 목구멍을 타고 아픈 짠맛이 났다. 그러고 보니 어미가 없다. 둘러보니 이미 높은 곳으로 혼자만 몸을 피한 상태였고 그 어이없는 광경을 바라보고 있노라니 절로 한숨이 새어나왔다.

"넌 도대체 뭐니. 어미가 되어 가지고 새끼를 구할 생각을 해야지."

다른 새끼들은 전혀 보이지 않는 사실로 미루어 짐작해보니 이미 다른 아이들은 모두 독립시켰거나 옮겼을 것이다. 이 아이가 가장 약했겠지. 가장 약한 아이라 포기한 건가. 그래도 너무했다. 엄마잖아, 엄마. 그나저나 이 아이를 어찌한단 말인가. 이미 카페 아이들만으로도 포화상태인데 죽어라 죽어라 하는구나.

이 상황을 어찌 해야 한단 말인가. 벽돌을 하릴없이 들고서 조심히 근처 쓰레기 더미 옆에 놓아두고 제자리로 돌아오니 걱정만 눈덩이처럼 불어나고 있었다. 이동장을 가지고 와야 하나, 그 사이 무슨 일 당할 수도 있는데 어쩐다. 착잡해진 한숨으로 아이를 지켜보다가 나도 모르게 보듬보듬, 아이를 쓰다듬고 있었다.

"에휴. 얼마나 배가 고팠으면 그리 숨도 안 쉬고 먹니. 아효 가
여운 것."

그때였다. 소름끼치는 고함소리가 머리를 내리치듯 내려왔다.

"아!! 얼른 나와! 거 참치 캔 하나 챙겨와! 거기 양파 망 같은
것도!! 아 얼른!!!"

"아이고 성화는…. 조용해졌잖아요. 이게 무슨 난리래."
"아! 시끄러! 오기나 해!"

생각이고 뭐고 할 겨를도 없이 나도 모르게 쓰다듬던 손 그대
로 새끼고양이의 목덜미를 덥석 잡고 품안에 숨겼다. 비워낸 그릇
을 집어 들어 대충 주머니에 쑤셔 넣었고 그 정신에도 어미가 눈
에 밟혀 새끼를 안은 채 어미에게 보여주며 숨도 안 쉬고 작별인
사를 했다.

"너도 아이를 포기한 것 같으니 내가 데려갈게. 내가 밥은 안
굶게 할 테니 걱정하지 말고. 지금 상황이 너도 나도 애도 선택권

이 없다. 이대로 두면 너도 새끼도 다 죽어. 알지 너도? 그러니 어서 너도 피하고 부디 건강하게 잘 피해서 잘 숨어 다니며 잘 먹고 살아야 된다. 알았지, 응? 지나가다 보이면 간식이나마 챙겨줄 테니 나 있는 데로 사람들 없을 때 와라. 미안하다. 같은 사람이라 미안하다. 건강해야 한다. 응? 새끼 데려갈게. 인사해. 자, 자! 너도 얼른 멀리 피해! 쉬! 어서 가! 훠이!! 쉬이!!!"

한 손으론 새끼고양이를 안고 다른 한 손으론 크게 내저으며 어미가 사라지는 것을 확인하니 건물 맨 위층에서부터 센서에 불이 들어오며 발걸음 소리도 따라 내려오고 있었다. 미친 듯 달리기 시작했다. 옆 건물에서 내가 사는 옥탑방까지 숨도 안 쉬고 뛰어 올라와 현관 철문과 방문 모두 걸어 잠근 뒤 쑤욱 하고 들어와 앉았다. 방안에는 귀가 쫑긋해진 다섯 마리의 동그란 두 눈들이 영문도 모른 채 나를 보고 있었고 나는 숨을 거칠게 몰아쉬었다.
"헉헉헉, 후우우, 후우."

아래층에선 한참동안이나 난리법석이었다. 그도 그럴 것이 고양이 한 마리 흔적조차도 없을 테니.

"아아!!! 이 도둑괭이 새끼들 다 어디 갔어어어어어어!!!"

루팡이가 이렇게 건강해질 줄 누가 알았겠어요?
여전히 아픈 루팡이고, 간식을 먹지 못해
많이 힘들어하는 루팡이지만, 카페 모두는 알아요.
루팡이가 힘을 내고 있다는 것을.
아픔 너머에 해맑은 웃음이 넘실거린다는 것을.
고마워, 루팡아.

"아이고 내가 뭐래요. 이미 갔을 테니 자자니까. 이 시간에 사람들 다 깨겠네. 이게 웬 온 동네 망신이우. 아이고."

"내 건물에 한 번 더 눈에 띄기만 해봐!!! 가만두지 않을라니!!!!! 에이!! 빌어먹을 드런 새끼들, 에이!!!"

그리고는 방망이를 내던졌는지 나뒹구는 소리, 주워드는 소리, 캔 던지는 소리 등이 났다. 다른 건물 창문이 열리고 시끄러워 죽겠다는 고함소리가 들려왔고 또 옆 건물 주인과 싸우는 소리가 이어졌다. 한참을 그렇게 방 한가운데에서 꼼짝도 않고 밖의 소리만 듣고 있었다. 더욱 커진 눈망울로 나를 올려다보는 새끼고양이에게 계속해서 괜찮다고 토닥이며….

"괜찮아. 아무 일 없을 거야. 괜찮아. 괜찮아질 거야. 츠츠츠."

밖에서 소리가 잦아들고 주거니 받거니 하던 말다툼도 조용해졌다. 시계를 보니 이미 동이 터오는 다섯 시도 훌쩍 넘은 시간이었다. 어슴푸레 밝아오는 세상 속에서 안도의 한숨을 길게 내뱉고 보니 온 몸이 저려와 자세를 고쳐 앉았다. 그리고는 발바닥에 이상한 느낌이 들어 살펴보니 여기저기 까지고 상처에 피까지 났다.

그제야 쓰리며 아파오기 시작했다. 가만히 생각을 되짚어보니 신발을 신고 나간 기억도 신발을 벗고 들어온 기억도 없었다. 허탈한 헛웃음만 나오기 시작했다. '신발 신을 생각도 못 했나, 내가?' 이 시각에 움직일 수도 없는 노릇이니 카페 오픈 청소 전에 서둘러 병원에 가기로 결정하고 신 집사에게 상황을 알렸다. 아무 말 없이 듣기만 하던 신 집사는 대략적인 상황을 듣다가 말했다.

"방망이도 모자라 벽돌이라니. 하아. 세상 참, 그 조그만 걸."

한동안 더욱 커진 눈으로 이리저리 살피며 눈치만 보던 작은 새끼고양이. 급히 꺼낸 이동장 안에 키튼 사료와 캔을 비벼서 함께 넣어주니 또 콧노래를 부르며 챱챱챱 먹었고 그 모습을 바라보다가 그만 나 자신조차 당황스러운 눈물이 뚝뚝 떨어져 내렸다.

까만색 턱시도 옷을 입은 새끼고양이는 다 먹고서 난생 처음 느꼈을 뜨끈한 방바닥 온기에 몸을 녹이며 긴장이 풀렸는지 이내 잠이 들었다. 그 모습을 밤이 새도록 지켜보면서 처음 아이를 보자마자 떠올렸던 이름을 마음속으로 되뇌며 나도 스르륵 잠이 들었다.

'수컷이면 루팡. 암컷이면 루나라고 불러야지. 달빛에 어울리는 턱시도 코트를 입은 아이니까. 츠츠츠. 괜찮아 아가야. 괜찮다. 다 괜찮아질 거야. 이제 배고플 일도 없을 거고 추워서 발이 아플 일도 사람한테 해코지 당할 일도 없을 거야. 괜찮아, 괜찮아.'

〈커피타는 고양이〉 아이들 젤리에는
다양한 사연이 있어요. 하지만 그 누구도
원망하지 않아요. 지금에 충실할 뿐.
오늘 이곳에 있음에 감사할 뿐.

"진정한 고요함은
잠들어 있는 고양이 안에
존재한다옹."

"고양이 한 마리 기르고 싶다고냥?
또 한 마리 더 기르게 될 거라옹.
헤밍웨이 집사가 그렇게 말했다옹."

가슴에 묻은 나의 별 시저

꺼내어 보면 너무나 가슴이 아플 것이고 그로 인해 내 전체가 흔들릴 것을 알기에 꺼낼 수 없는, 심장 깊숙한 곳에 꼭꼭 묻어두는 일들이 있다. 오랫동안 가슴을 치며 세차게 머릴 흔들고 끝내 입을 다물었음에도 어쩔 수 없이 꺼내게 된 이야기. 그것이 나에게는 시저의 이야기이다.

다음 뉴스펀딩을 통해 진행하게 된 〈커피타는 고양이〉 프로젝트. 카페 아이들의 이야기를 누군가에게 들려주기로 마음을 돌렸던 것은 가슴 깊숙이 묻어놓은 시저의 장례를 제대로 치러주고 시저를 무지개다리 너머로 올곧이 보내주고 싶었기 때문이다. 하지만 중간에 연재를 펑크 낼 정도로 시저의 이야기는 나를 힘들게 했다. 더불어 그렇게나 토해지지 않던 이야기이기도 했다.

쓰기 직전부터 숨이 막히고 심장이 찢겨지는 듯한 아픔 속에서 글을 써야만 했다. 쓰면서도 아프고, 읽고 다듬으면서도 서럽게 울음을 토해내며 아파왔다. 그때 제대로 보내주지 못했던 가여운 내 아이는 내 마음속에서 처음 모습부터 마지막 모습까지 알알이 박혀 있었다. 그제야 새삼 알게 되었다. 슬픔은 침묵을 갉아먹고 우린 시저를 알아요.
시저는 언제나 건강한 아이였어요.
몸은 아파도,
영혼은 너무나 건강했던….
그래서 매일 시저를 그리워해요.
엄마가 잘 모를 수도 있지만,
우리에게 시저는 언제나
최고의 고양이였어요.
보고 싶다, 시저야.

내 안에서 점점 더 깊이 박히며 온 세포를 점령할 뿐이라는 것을.

루팡이의 복막염 소견을 듣고 난 후, 치료를 시작하면서 결국 루팡이도 시저처럼 카페에서 편안히 지내게 하는 데 주력했다. 그 악명 높은, 정확한 진단도 어렵고 치료법도 없는 복막염이 아니던가.

처음부터 최 원장님과 나의 목표는 같았다. '아이가 우리와 함께하는 동안 더 편안하게, 좀 더 행복하게 지낼 수 있게 해주는 것.' 하지만 사람의 마음이란 참으로 간사하게도 나에게 기적을 기대하게 만들었다.

시저가 거짓말처럼 눈부시게 좋아졌던 몇 개월의 시간 동안 이 아이가 아픈 아이라는 사실을 잊을 만큼 여타 고양이처럼 평범하게 너무나도 잘 지내주던 그때 나는 진심으로 믿었다. 시저가 나을 수도 있다고. 병을 물리치고 기적이 일어난 것이라고. 하지만 거짓말처럼 좋아졌던 시저는 다시 거짓말처럼 나빠지기 시작했고 그 시기에 루팡이를 구조하게 되었다.

2개월 령의 작디작은 루팡이와 5세가 넘은 마른 시저는 서로 같은 스크래처에서 몸을 동그랗게 말고 등을 맞대어 자는 것을 좋아했다. 사실 그 모습을 보고 희미한 웃음으로 나를 감추며 매일 오고가는 손님들이 하는 질문에 전부 대답해야 했던 나는 매분 매초 무너지고 있었다.

내가 세상 속에서 어떻게 지내는지 여부와 상관없이 어김없는 시간은 무던히도 흘렀고 시저의 상태는 점점 악화되기만 했다. 외면하려 하는 문제들은 실상 늘 존재하고 있듯이 시저는 나에게 언제나 공기처럼 그렇게 숨 쉬는 매 순간마다 아프게 되새겨지는 내 가여운 아이였다.

겨울도 다 지나가고 바람이 일렁이며 무심한 햇살이 등을 후려치고 들어오던 2015년 2월 말이었다. 갑자기 미친 사람처럼 온 동네를 비집고 돌아다녔다. 5천 원짜리 봄 티셔츠들이 세일이란 팝업 아래에서 춤추듯 나를 불렀지만 나는 그 옷 한 장 살 돈이 너무 아까운 가난한 고양이 집사였다.

묵묵히 춤추는 옷들을 지나가니 시즌 오프라며 애견, 애묘 겨울 옷을 세일하는 가게를 마주쳤다. 귀엽고 예쁜 옷들 사이에서 가격 대비 가장 따뜻해 보이는, 그러면서도 시저의 피부와 털 색깔에 어울릴 옷을 골라 점원에게 내밀었다. 그중 가장 마음에 들었던 옷이 가장 비싼 옷이었고 고민하다가 깎고 깎아 만 원짜리 두 장을 아쉽게 내밀었다. 까만 봉지에 담긴 그 옷들을 손목에 걸고서 얼른 병원으로 향했다. 가는 도중 최 원장님에게 전화가 걸려왔고 나는 갑자기 전력질주하기 시작했다.

어쩌면 이 모든 것이 거짓말일 거라 스스로를 위안했거나 현실 도피였는지도 모른다. 응급 상황이 터진 병원에서도 나는 '아, 누군가의 아이가 심각한 상태인가보다. 얼른 나아야 할 텐데.' 하면서 이건 내 일이 아니라고, 내 아이 시저의 일이 아닐 거라 단단히도 외면하고 있었다.

그 틈을 깨고 최 원장님의 급박한 숨소리가 배어나오던 뒷모습은 나를 곧 현실로 끌어내렸다. 까만 봉지를 떨어뜨린 채 멍하니 서 있던 나를 본 간호사 선생님이 다가와 내 손을 꼭 잡아주었다.

"응급 상황은 지나갔으니 밖에서 기다리세요."

'아, 그래. 그랬어. 이건 현실이었어. 시저인 거야. 시저가 응급 상황이었던 거야. 어떡하지. 이제 어떡하지. 뭘 해야 하지.'

그 순간부터였다. 세상이 무너져 내리기 시작한 것은. 몸은 부들부들 떨려왔고 손은 내 생각과는 다르게 멋대로 흩날리고 있었다. 춥지도 않은데 오한이 들기 시작해 이가 딱딱거리고 있었다. 입을 굳게 다물고 이를 악물었다. '시저의 모든 아픔과 처참한 모습을 바로 옆에서 지켜봐온 최 원장님, 우리 원장님은 어떡하지.' 서로에게 도미노가 될 수 있었던 우리는 너무 잘 알고 있었다. 둘 중 한 사람이 무너지면 따라서 같이 무너져 내린다는 것을.

응급 상황이 한참 지났고 다른 진료가 없었음에도 최 원장님은 한동안 모습을 보이지 않았다. 나 역시 밖에 나가 마음을 추스르고 떨리는 한숨을 길게 한 가닥 뽑아낸 후 자리에 앉았다. 얼마의 시간이 지나가고 최 원장님의 신발이 보였다. 천천히 내게 다가오면서 망설이던 발걸음. 서서히 쪼그리고 앉아 한참을 멍하니 나를 바라보던 그 시뻘겋게 부은 눈. 우리는 그렇게 한동안 침묵과 슬픔의 한가운데에서 서로의 발등만 보고 있었다.

시저는 다음 날인 3월 1일 새벽, 2년간의 투병 끝에 세상 반대편으로 떠나가 별이 되었다. 바닥에 주저앉아 아이를 하염없이 보

듬으며 소리 없이 오열하였다. 돌아오지 않는 나의 아이는 무거운 침묵 속에 누워 있었다. 침묵은 후회를 삼키고 후회는 시간을 삼키며 시간은 내 심장을 매분 매초 도려내고 있었다.

내가 샀던 옷들은 끝끝내 단 한 번도 입혀보지 못했다. 따뜻한 옷, 좋은 옷 한 벌 제때 못 입혔던 것이다. 좋은 것 한 번 못 해주었던 증거로 아프게 남아 있는 그 옷들을 사면서 가격에 고심했던 스스로의 가난함에 치를 떨며 너덜너덜했던 나 자신의 초라함은 후회로 남게 된다.

시저는 2013년 7월. 처음 만난 순간부터 어렵고 힘든 아이였다. 발톱 한 번을 깎이는 일도, 변으로 더러워진 몸을 씻기는 일도, 병원에 한 번 가는 일조차 쉬운 적이 없었던, 치료하기도 케어하기도 매우 힘든 고양이였다. 손님이 오고가는 카페였기에 매 순간 뒤를 따라다니면서 쉼 없이 치우고 닦아야 했고 시저가 지나간 자리에는 언제나 변이 흘러 짓이겨져 있는 것이 일상이었다.

씻기고 나면 5분도 안 되어 다시 더러워질 수밖에 없었고 빨아서 다시 자리에 가져다 놓는 모든 것이 잠시 후 다시 빨랫감이 되었다. 모르는 사람은 격리해야 하지 않느냐며 핀잔 섞인 불만을 이야기했다. 그럼에도 나는 끝끝내 시저를 카페에 자유롭게 풀어

놓았다. 대신 내가 더 움직이고 더 닦고 부지런해야 했다.

2013년 9월부터 본격적으로 시작된 시저의 치료로 인해 병원
의 모든 선생님들은 시저가 할퀴거나 물어서 피를 보는 일이 매
일이었고, 팔이며 다리며 상처투성이였다. 나는 말할 것도 없었
다. 이동장에 시저를 넣는 것 하나도 너무 힘들어서 몇 시간을 실
랑이하다 너무 힘들게 해 주저앉아 울었던 적도 있다. 어쩔질 못
하던 나의 울음 섞인 고함이 허공에 울려 퍼지던 그날이었다.

"살아야 할 거 아니야! 먹어야, 먹어야 살 거 아니니!! 병원에
가야 치료도 받고 그래야 살 거 아니야! 일단 살아야지! 살아야

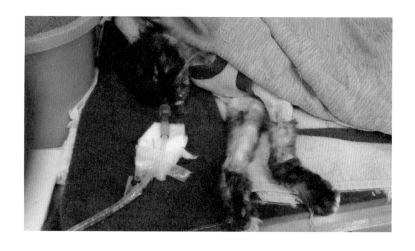

좋은 날도 있을 거 아니니. 제발 좀! 이렇게 아프기만 하다가 죽을 거야? 죽을 거냐고!! 죽을 거면 같이 죽든가!! 이게 도대체 뭐하는 짓이야. 너도 힘들고 나도 힘들고 이러다 둘 다 죽겠어! 이게 뭐하는 짓이니. 살자고!! 좀!!! 살아야 안 아픈 날도 행복할 일도 있는 거잖아!! 제발!!! 시저야, 시저어어어!!!"

몇 시간 동안의 실랑이 끝에 지쳐 나가떨어져 통곡하며 울었다. 우는 건지 화내는 건지 달래는 건지 뒤죽박죽인 채 바닥을 치며 토하듯 소리를 내질렀다. 그때였다. 시저가 가만히 나를 내려다보다가 조용히 이동장 안으로 들어가는 것이 아닌가.

모든 걸 거부하던 아이가 내 손길을 허락하던 그 순간을, 아파서 금방이라도 사라져버릴 것 같던 아이가 살이 붙고 털도 멋있게 길어져 늠름하게 카페를 거닐다 이름을 부르면 뒤돌아 올려다보던 그 눈부신 순간을, 그리도 요지부동 사는 것조차 다 포기한 눈빛으로 웅크리고만 있던 아이가 나에게 종종종 달려와 초롱초롱한 눈망울로 간식 달라며 보채고 다리를 쓸며 지나가길 반복하며 애교를 부리던 그 가슴 터질 듯한 순간을 어떻게 잊을 수 있을까.

카페를 인수하고 카페이자 쉼터인 〈커피타는 고양이〉가 시작된 최초의 순간부터 시저는 나와 무던히도 '함께'였다. 나를 울리고

"우리에겐 각자의 밥그릇이 있다옹.
먹을 걱정하지 않는 지금이 가장 행복하다옹.
지금의 행복에 감사할 줄 아는 우리는
세상에서 제일 행복한 냥이들이다냥."

나를 웃게 하고 나를 슬프게 하고 나를 기쁘게 하며 나를 아프게 했던 전쟁 같던 2년. 알알이 한 톨도 빠짐없이 그 모든 순간을 함께했다.

마지막 순간까지 함께였음에도 후회하는 나와 마지막 순간을 함께하지 못해 슬퍼하던 최 원장님. 우리에게 시저는 영영 아픈 아이일지도 모른다. 봉인처럼 마음도 눈물도 단단하게 걸어 잠그고 시저의 유골을 받아들고도 묵묵히 웃어 보이며 원장님의 잠긴 목소리와 떨리던 손길을 애써 모른 척하며 덤덤하게 시저의 유골함을 안고 있었다.

부들부들 떨면서 끝끝내 눈물이 터진 최 원장님은 내내 죄송하다는 말만, 마지막에 시저 옆에 못 있어준 게 너무 미안하다는 말만 주문처럼 중얼거리시다 더 이상 말을 잇지 못하셨다. 봄날의 벚꽃처럼 최 원장님의 진심이 흐드러지던 그날, 나는 시저에게 속삭였던 말을 최 원장님께 건네 드리고 일어났다.

"원장님, 괜찮아요. 그동안 늘 해주실 수 있는 모든 걸 넘어서 해주셨어요. 한치 앞도 못 보던 아이를 2년이나 살게 해주셨잖아요. 너무 감사해요. 원장님을 만나서 너무 다행이에요. 시저에게도 저에게도 원장님은 우주 최고의 수의사세요."

그날 고개 숙인 최 원장님의 테이블에는 내 마음만큼이나 가득히 눈물만 뚝뚝 떨어졌다. 전혀 그렇지 못하다고 말도 안 된다고 화를 내시다가 울음을 터트리시던 최 원장님의 흐드러진 어깨에 내 마음도 덜컥 흐드러졌다. 눈물 나서 더는 못 있겠다고 빨리 가시라고 서로 등 떠밀며 울다 자리에서 일어났다.

그날 쉼 없이 나를 후려치던 바람이 아직도 기억 속에 박혀 있다. 세상에 이런 사람이 어디에 있을까. 너를 나보다 더 잘 알고 더 아끼고 더 사랑하고, 그래서 더 고생했으면서도 그 흔한 내색 한번 안 내는 이렇게 한결같은 사람이. 너를 위해 나보다 더 울어주는 이가.

'시저. 너도 그렇게 생각하지? 최 원장님을 만난 게 우리에게 가장 큰 행운이었지, 그치?'

공허한 아침 햇살 속에서 향이 피우는 연기가 쉬이이 하고 일렁인다. 마치 시저가 잠시 내려와 대답하듯. 그렇게 고요하게.

우리는 늘 서로를 믿어요.
그래야 서로의 눈에
눈물이 아닌 희망을
담아줄 수 있으니까용.

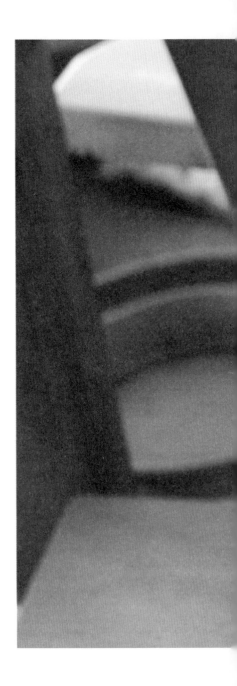

걱정말아요, 그대.

내가 있잖아요.

무한히 당신을 바라봐 주는 바로 나.

바라는 것은 없어요.

단지 날 쓰다듬어주면 그걸로 충분해요.

우주 최고 수의사를 만나다

가만히 돌아보니 카페를 맡게 된 이후로 가장 많은 이야기를 나누고 만난 사람은 단골손님도, 가족도, 친구도 아닌 최 원장님이었다. 일주일 단위로 나뉘는 스케줄 중 가장 많은 부분을 차지하는 것이 바로 카페 청소와 아이들 약 먹이는 시간과 돌보는 시간 그리고 재진이 예정된 동물병원 방문이었다.

다른 사람에게는 수의사 선생님이 어떤 의미인지 몰라도, 나에게는 현재 내 삶의 협력자이며 함께 걸어가 주는 조력자이자 만에 하나 내 삶이 갑작스레 끝난다면 내가 어떤 삶을 살았는지 증명해주고 증언해줄 사람이다. 40마리가 넘는 아이들을 두고 가장 많이 보듬고 가장 많은 손길을 주고 가장 많이 아파하며 울었던 사람. 그래서 최 원장님은 나에게 그리고 카페 아이들에게 그저 단순한 수의사가 아닐 수밖에 없다.

2013년 7월 기존에 있던 고양이 카페를 그대로 인수하면서 무엇보다 가장 먼저 알아본 것이 믿을 수 있는 수의사 선생님들이었다. 당시 카페에서 30분 거리 이내에 있는 동물병원들은 헤아릴 수 없을 만큼 많았으나 마음에 드는 병원이 없었다. 그때 차분한 성격의 지인 한 분이 '차가운 머리와 뜨거운 심장을 가진 분'이라고 표현했던 선생님이 참으로 궁금했다.

그러던 중 이러저러한 이유로 장모의 새끼고양이 두 마리가 오갈 곳이 없어 어쩔 수 없이 맡게 되었다. 사실 아무리 바쁘고 급하다 해도 불현듯 부릉 나타나 슈퍼에나 있을 법한 과자 박스 안에 담긴 두마리를 던지듯 떠넘기고는 가타부타 말도 없이 사라졌던 새끼고양이들의 전 주인이 아직도 이해가 가질 않는다.

연락을 받고 자다 깨서 멍한 상태로 내려갔던 나는 '이게 뭐지?' 했다. 상자를 열어보니 베이지 빛의 솜뭉치 같은 조그만 두 마리가 겁을 잔뜩 먹은 눈망울로 떨고 있었다. 아이들이 먹던 사료나 용품도 하나 없이 그 흔한 수건 한 장도 깔아주지 않고 어디서 주워온 듯한 허름한 박스에 덩그러니 그 어린 애들만 넣어서 던져놓고 갈 수 있는 그 심장이… 아직도 이해불가였다.

이틀 동안 너무 착하고 순하게도 하악질 한 번, 솜방망이질 한 번 하지 않고 잘 지내던 솜뭉치 천사 두 마리 중 암컷은 웨이, 수컷은 노르라고 이름을 지어주었다. 여기저기 킁킁거리는 조그만 솜뭉치 둘을 지켜보며 어느새 두 아이에게 마음이 가고 있었다.

이름을 부르면 앙앙거리며 서로 먼저 오겠다고 나를 향해 뛰어오는 보들보들한 솜뭉치. 더불어 사람을 무장 해제시키는 새끼고양이. 이 두 조합을 그 누가 이길 수 있을까.

카페를 청소하는 것으로 매일을 보내던 다음날 귀엽고 착해 빠진 솜뭉치 두 아이를 빨리 보고 싶은 마음에 얼른 할 일을 끝내고 집으로 돌아왔다. 현관문을 열고 들어오니 겨우 이틀이었는데도 함께 지냈다고 그리도 좋은지 두 마리가 앙앙거리며 내게로 한달음에 뛰어왔다.

그런데 노르가 뛰어오는 모양새가 이상했다. 자세히 살펴보니 오른쪽 뒷다리를 절면서 뛰어오는 것이 아닌가. 속상한 마음에 노르를 품에 안고 한참을 물었지만 고양이가 사람 말을 알 리가 없었다. 늦은 시간이었지만 지인이 입이 마르고 닳도록 칭찬했던 수의사 선생님이 있다는 동물병원에 진료를 예약했다.

"정성을 다하겠습니다. *** 동물병원입니다."

"네, 최 원장님께 진료를 예약하고 싶은데요."

"아, 네. 잠시만요. 저희 병원은 처음이신가요?"

"네."

"성함과 연락처 알려주시고요."

"혹시 지금 바로 가도 되나요?"

"네? 아, 네. 그럼 오셔서 말씀해주세요."

얼른 이동장에 노르를 넣고 웨이를 한참 만져주다 서둘러 집을 나섰다. 동물병원은 공교롭게도 카페에서 걸어 15분 거리에 위치해 있었다. 택시를 잡아타고 5분 만에 병원에 도착해 진료를 기다리니 만면에 미소 가득히 안경을 쓴 남자 분께서 진료실로 안내해주셨다. 명찰을 보니 이 분도 원장님이신데, 원장님이 두 분이신가, 라고 혼자 생각하며 노르의 상태를 설명하고 검사 결과를 기다렸다.

엑스레이 결과가 나왔고 최 원장님이 오늘은 휴무라 안 계시니 오시면 함께 상의해보고 정확한 결과를 알려주신다고 하셨다. 1차 소견을 말씀해주셨지만 마음에 걸리는 부분이 있다고 하시면서.

나도 김 원장님도 한참 엑스레이 사진을 갸웃거리며 보고 있었다. 꽤 많은 아이들의 엑스레이 사진을 봤지만 골절이나 금이 간 거라고 하기에는 모양새가 이상했다. 불안한 마음이 들었지만 전혀 아픈 티도 안 내고 "아, 아, 앙!" 하며 애교를 부리는 노르를 데리고 일단 돌아가기로 했다. 절뚝거리는 조그만 아이를 보고 있자니 마음이 아파왔다.

아무 일 없는 듯 이틀 내내 노르를 지켜보면서 행여 덧나지는 않을까 노심초사했다. 그러던 중 병원에서 전화가 걸려왔다. 처음 듣는 최 원장님의 목소리는 지인이 얘기한 것처럼 차분했지만 다급했다. 괜찮으면 지금 바로 병원으로 내원하실 수 있냐는 말에 잠시 묵묵히 있다가 되물었다.

"최 원장님이시죠. 저는 가서 놀라는 것보다 미리 알고 가는 게 더 낫습니다. 어떤지 먼저 말씀해주세요."

"아, 네. 그럼 영상 과장님과 엑스레이를 보고 여러 가지 의견이 나왔는데요. 저도 영상 과장님도 좀 더 디테일하게 보고자 하는 부분을 다시 엑스레이로 찍어보면 더 확실하게 소견을 말씀드릴 수 있을 것 같습니다. 단순한 골절은 아닌 것 같아요. 선천적으로 뼈가 녹는 병이 있는데 양상이 매우 비슷합니다. 다만 자료에

노르와 웨이는 엄친아들이다냥.
몸이 쪼끔 아픈 거 빼고는 예쁘지, 집사들이 좋아하지,
도도한데 다른 냥이들도 너무 좋아하징.
난 노르와 웨이를 시기 질투하지 않는다냥.
나도 엄청 예쁘고 사랑스러운 냥이라니까.

게 나타난 사례는 없는 것으로 압니다만, 확실한 것은 좀 더 자세히 아이의 엑스레이를 찍어보고 말씀드리면 좋겠습니다."

"… 뼈가… 녹는다고요…? 만약에 그 병이면… 어떻게 치료를 진행해야 하나요…?"

"아이가 아직 어리니 일단 수술을 견딜 수 있는 몸무게가 되어야 하고요. 그 후 아이의 컨디션을 체크하면서 수술을 해야겠죠. 저도 자묘에게 나타는 사례는 처음이라 아직 확실하게 말씀드릴 수는 없습니다."

"네… 알겠… 습니다. 그럼 지금 가겠습니다."

"네. 오시는 데 얼마나 걸리시는지요?"

"5분에서 10분 사이에 도착할 겁니다."

"네, 알겠습니다. 바로 고양이 진료실로 올라오시면 됩니다."

"네네…."

처음 만난 날 최 원장님에게 받은 느낌은 여전히 유효하다. 고양이 진료실 문을 열고 들어서니 자줏빛 병원복을 입고 있던 단아한 여자 분이 일어나며 나를 맞이했다. 나이를 가늠하기 힘들 정도로 어려 보이는 얼굴. 그와 반대로 단정한 단발머리에 군더더기 없는 행동. 조근조근 이해하기 쉽게 설명해주지만 단어 선택에서 충분히 느낄 수 있는 배려와 겸손함. 차분한 목소리와 눈빛. 그 모든 것이 첫 만남부터 너무나 마음에 들었다.

'그래. 이 사람이다. 카페 아이들의 수의사 선생님은.'

처음 만난 그 순간부터 나는 최 원장님을 마음에 두었다. 카페의 많은 아이들을 믿고 맡길 수 있을 사람이라는 느낌이 대화가 이어지면 이어질수록 더 확고해져 갔다. 노르도 진료가 급했지만 시저가 가장 걱정이었다.

노르의 검사 내용을 상세히 다 듣고 나서 처음 만난 순간부터 마음속에 고르고 골라두었던 말들을 조심스럽게 꺼내기 시작했다. 카페에 아이들 상태가 너무 좋지 않아 혼자 그 많은 아이들을 다 데려오기엔 한계가 있으니 어려우시겠지만 한번만 방문해주시면 안 되겠느냐고. 간절한 나의 부탁이 최 원장님의 마음을 움직인 것일까. 아이들 숫자에 놀라던 최 원장님은 이내 묵묵히 내 이야기를 가만히 듣더니 알겠다며 미리 연락드리고 방문하겠다고 하셨다.

나는 아직도 이 날의 기억이 생생하다. 지금까지 카페를 지킬 수 있게 현재까지도 묵묵히 도와주고 계신 〈커피타는 고양이〉들의 담당 수의사 선생님을 만난 날이기 때문이다. 그리고 아직도 이 날이 카페를 맡은 후 일어난 가장 큰 행운이라고 생각한다.

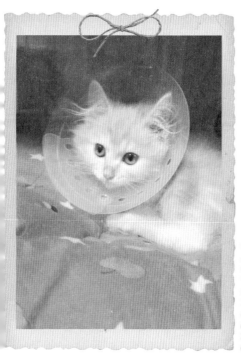

고양이와 함께하는 시간은
절대 낭비되는 시간이 아니다.
- 콜렛 -

"넌 누구.
난 양이닷.
아니, 냥이닷.
집사,
넘 헷갈린다냥."

당신이 많은 사랑을
       베풀어준다면

고양이는 당신의 친구가
되어줄 것이다.

– 고티에 –

상시르, 나의 상시르

'첫째, 첫 번째.' 처음이라는 단어가 들어간다면 누구에게나 그 단어에서 느껴질 아련한 기억들이 있을 것이다. 나에게 고양이를 반려한 첫 경험이라면 러시아 유학 시절, 어마무시한 나의 무식함에 따른 불편함을 감내하며 많은 것을 알려준 보라라는 아이와의 시간이다.

안 좋은 인식과 편견 그리고 수많은 학대와 폭력 속에 오늘을 살고 있는 불행한 한국 길고양이들과는 달리 기본적으로 동물과 고양이를 좋아하고 한 집 건너면 어느 가정에나 고양이를 반려하고 있던 그 땅에서 태어나고 자란 보라가 겪은 최대 위기라고 해봐야 아무 것도 모르는 초보 집사였던 나를 만난 것 정도였을 것이다. (이것이 보라에게는 극악무도한 고통이었을지 모르지만 그래도 마음 좋은 옆집 아주머니에게 입양을 갔고 지금까지 잘 살고 있을 테니 아니라고 생각하고 싶다)

내 생에 첫 고양이는 너무나 오래되어버린 기억 속에 남아 있다. 고양이 습성에 대한 이해가 전혀 없던 시절, 고양이에게 모래와 화장실이 필요하다는 사실조차 모르고 다른 곳에 실례를 한다고 화내고 혼내기만 했다. 육류가 널려 있는 식생활이 기본인 그곳에서 사료를 급여할 생각조차 하지 못했다.

얼마 뒤 마음 좋은 옆집 고양이 아주머니에게 조언을 듣고서야 고양이에 대한 무지와 오해가 풀렸다. 보라는 새 모래가 가득한 화장실을 가졌고 사료도 먹게 되어 비로소 고양이다운 생활을 하기 시작했다.

훗날 개와 고양이 모두 10마리를 반려하시던 그 아주머니에게 입양을 가게 된다. 하지만 아직도 하필이면 생에 첫 반려인이 서툴기 짝이 없는 왕초보 집사여서 겪지 않아도 될 고충을 겪어야 했던 보라에 대한 미안함은 마음 깊숙한 구석에 묻혀 있다.

오랜 유학 생활을 정리하고 한국에 온 뒤로 만나게 된 나의 첫 고양이는 상실이라는 이름을 가진, 삼색 코트를 멋지게 입고 날씬한 몸매에 우아하고 사뿐한 걸음걸이로 다니며 깔끔하기가 하늘을 찌르고 쪼그리고 앉은 품에 쏙 들어가 안겨 있기를 좋아하는 한 살이 갓 넘은 암컷 고양이였다.

당시 구조자의 친구가 어이없이 파양하여 다시 구조자의 집에다 커서 돌아오게 된 아이였다. 사실 나는 상실이를 처음 본 순간부터 한 눈에 반했었다. 지금도 카페에 찾아와 고양이를 입양하길 원하는 사람들에게 말하곤 한다.

"첫 눈에 알아볼 수 있습니다. 돌아서면 보고 싶고 왠지 데려와야 할 것만 같고 며칠이 지나도 계속 눈빛이 생각난다면 바로 그 아이가 묘연입니다."

첫 번째 반려인의 방치 속에서 파양 당했던 상실이는 그렇게 나의 첫 번째 반려묘가 되었다. 나와 매우 친밀했던 상실이의 구조자는 그때부터 약 1년 전 비가 몹시 내리던 추운 날에 꽉 묶여 있는 까만 봉지가 빗물이 고인 웅덩이 속에 놓인 채 꿈틀대는 것을 보고 한참동안 자신의 눈을 의심했다고 한다.

발걸음을 떼다가 망설이기를 반복하다 봉지를 조심스레 열어보니 눈도 못 뜬 말라비틀어진 꼬물이 한 마리가 그 속에서 겨우 숨쉬고 있었고 손가락 두 개를 합친 것만한 새끼고양이를 그렇게 구조했다고 한다. 상실이의 젖먹이 시절 사진을 보여주면서 그 친구는 항상 나에게 말했다.

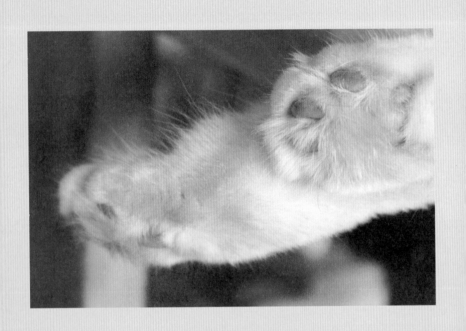

인생에 고양이를 더하면
그 힘은 무한대가 된다.
- 라이너 마리아 릴케 -

"진짜, 살다 살다 그렇게 못생긴 애는 첨 봤어. 처음엔 고양이가 아니라 다른 동물인 줄 알고 얼마나 식겁했는데."

사실 상실이에게는 미안한 말이지만 나도 사진을 보고 "이게 뭐야?!" 했을 정도로 구조 당시 모습은 지금과 너무나 판이했다. 두 달을 그렇게 잠도 못 자고 인공 수유하면서 힘들게 살려내어 친한 친구에게 입양 갔던 상실이는 무책임한 반려인의 방치로 결국 구조한 친구가 다시 맡게 되었고 그 타이밍에 맞물려 구조한 친구와 친했던 나는 상실이를 만났던 것이다.

상실이가 마음에 쏙 들었던 나는 하루가 멀다 하고 상실이를 보러 친구 집에 들락거렸고 그러던 어느 날, 구조한 친구와 동생이 나란히 찾아와 상실이의 대모가 되어주기를 부탁했다. 가난한 생활고에 시달렸던 나에게 부담일 것을 알고 있던 자매는 그저 지금처럼만 자신의 집에 걸음 하여 상실이를 예뻐해주면 좋겠다고 부탁했다.

나에게는 너무 쉬운 일이었으므로 부탁까지 할 일조차 아니었는데도 조심스럽고 정중한 그 말에 나는 새삼 그 자매가 더 좋아졌다. 결국 오랫동안 마음속에 품었던 상실이를 반려묘로 입양했다.

고양이 벼락 맞은 왕초보 집사

그 후 마음속으로 상실이와 함께할 집을 꼭 구해야겠다고 생각하던 중, 돈뭉치 5남매라 부르게 된 새끼고양이 다섯 마리의 어미인 꼬질이를 운명처럼 만나게 되었다. 길냥이용 사료를 몇 포대씩 사서 집 앞 마당에 길고양이들이 나타나면 주섬주섬 놓아주던 중 처음 만난 꼬질이는 너무 더러워서 처음엔 원래 까만 아이인 줄 알았다.

자세히 보니 반고등어 태비 코트를 입은 아이였고 그래서 "아고, 너 진짜 꼬질꼬질하다" 하다가 꼬질이라고 정감 있게 부르던 것이 이름이 되어버렸다. 더불어 동네 대장이던 꼬질이가 암컷이라는 사실에 새삼 놀랐었다.

사람 말을 다 알아듣는 듯한 기막힌 타이밍의 대답은 물론이거니와 영리함을 넘어선 범상치 않은 행동들은 동네 사람들이 신기해 할 정도였다. 지나가던 동네 할머니는 "아이구. 델꼬 살아야겠고면. 고거 영물일세" 하시면서 내 뒤를 졸졸 따라다니던 꼬질이를 보며 내던지듯 말씀하시곤 했다.

꼬질이도 나도 서로 의지하며 지내던 어느 날 갑자기 마른하늘에 날벼락을 맞은 듯 그렇게 폭우가 쏟아지던 밤, 꼬질이가 비를 우리 함께 살아간다는 것이 무엇인지 잘 알고 있어요.

그래서 집사들에게도 거침없이 앞발을 건네지요.

집사들도 서로서로 아껴 가며 행복했으면 좋겠어요.

우리처럼, 우리가 곁을 내어주는 것처럼,

우리가 있어 집사들이 행복한 것처럼.

쫄딱 맞은 모습으로 나타났다. 나에게 "응급 상황이다냥. 따라와 라냥!!"이라고 외치는 것만 같았다. 신기하게도 꼬질이의 눈빛만 으로도 상황을 가늠할 수 있었다.

따라나선 나를 연신 뒤돌아보며 빗속을 뚫고 꼬질이가 안내한 곳은 집 바로 옆에 위치한 상가 건물 지하였다. 어두컴컴한 그곳 에서 어렵게 새끼고양이 네 마리(유로, 루블, 엔, 센트)를 구조했다. 기막혀 할 정신도 없이 꼬질이의 중성화 수술을 맡기러 찾은 동 물병원에서 할아버지 원장님도 나도 헛웃음만 연신 새어나왔다.

꼬질이는 돈뭉치 네 마리를 낳고나서 이미 뱃속에 두 번째 아 이들을 임신한 상태였다. 결국 세 명의 룸메이트와 함께 지내던 우리 집에 눌러 살게 되었고 우리는 갑작스레 고양이집사의 길에 본격적으로 들어서게 되었다.

걱정과 한숨으로 지내면서도 불러오는 꼬질이의 배를 보며 안 쓰러움이 번져오던 날들이 한 달 정도 지났을까. 꼬질이는 다섯 마리를 낳고 하혈을 하며 정신을 잃기를 반복하다 병원으로 급히 옮겨져 간신히 일곱 마리를 낳았다. 꼬질이는 제왕절개 수술과 함 께 중성화 수술을 받았고 죽을 뻔했던 마지막 두 마리는 원장 할 아버지의 빠른 판단으로 결국 살아났다. 그중 한 마리가 현재 카 페에서 지내고 있는 유키라는 하얀 아이다.

그렇게 기억도 아득한 몇 해 전, 단 한 마리도 반려하지 않던 나는 12마리 고양이 벼락을 맞았다. 그리고는 지금 생각해도 믿기지 않는 우연으로 혼자 살 집을 구하게 되었는데 이곳으로 나와 12마리 고양이 대가족이 이사를 했다. 여러 번 사람들에게 회자되는 이야기이지만 그때를 생각하면 정신이 아득해질 지경이다.

꼬질이와 돈뭉치 4남매 그리고 갓 태어난 새끼고양이들 7형제까지 꼬질이 한 마리를 제외하곤 전부 새끼고양이 11마리라니! 초보집사였던 내가 상상이나 해봤겠는가. 새끼고양이 11마리가 날아다니는 원룸의 전쟁터 속에 살게 되리라고…. 세상 어느 초보집사가 이러한 고양이 대폭격을 맞는다는 말인가. 그때도 지금도 지인들이 배를 잡고 깔깔대며 하는 말이 있다.

"넌 꼬질이한테 사기 당한 거야!"

결국 대부분 입양을 보내고 끝내 선택받지 못했던 유키와 돈뭉치 4남매는 내가 반려하게 되었다. 그리고 12마리 고양이들의 대이동이 있기 전, 혼자 살게 된 집에 처음으로 데려온 아이가 바로 영원한 첫째, 상실이다. 언젠가부터 상실이를 상시르라 부르기 시작했다. 최 원장님이 늘 하는 이야기 속에는 상시르 이야기가 많다.

"왜 그렇게 상시르만 예뻐하세요. 만약 상실이 아프면 집사님이 큰일 나겠어요. 그렇게 편애하셔도 되는 거예요?"

"네. 편애해도 돼요. 상시르니까요."

그리고 나는 또 늘 그랬듯이 주절주절 상시르에 대한 미안함을 읊어대기 시작했다. 지금도 대놓고 당당하게 편애할 만큼 상시르는 포기해야 했던 것이 너무나 많았던 나의 첫째였다. 12마리 고양이 폭격을 맞은 것은 나보다 상실이에게 피해가 더 컸을 것이다.

그도 그럴 것이 새끼들을 다 낳고나서 전과는 너무 다르게 늘어져 게으름만 피우던 꼬질이를 지그시 바라보던 상실이는 어느 날부터 11마리 모두를 어미묘처럼, 아니 그보다 더 살뜰하게 돌보기 시작했다.

워낙 깔끔한 성격의 상실이는 11마리 꼬물이들까지 그루밍해주다보니 밤새 헤어볼을 많이 토해내었다. 화장실을 못 가리거나 대소변을 제대로 못 묻던 루블이와 센트는 상실이의 엄한 교육 속에 한 달 후부터 깔끔하게 화장실을 가리게 되었다. 11마리의 새끼고양이들이 날뛰며 싸우려 들면 중간에 우뚝 앉아 으르렁거리며 아이들을 흩어놓고는 싸움을 막았다.

아이들이 많아지자 급하게 일하게 된 나는 간헐적으로 집을 비우게 되었는데 퇴근 무렵엔 언제나 현관문 바로 앞 신발장 위에 상실이의 실루엣이 보였다. 그리고 상실이 특유의 허스키한 울음 소리가 "웨오옹" 하고 들렸다.

그렇게 한 차례 폭격이 지나가고 꼬질이와 두 번째 아이들 중 여섯 마리는 둘, 둘, 셋 이렇게 믿을 만한 좋은 가정으로 입양 가게 되었다. 하지만 돈뭉치 4남매와 유키 한 마리만 입양자들에게 매번 선택 받지 못했다. 결국 첫째 상시르와 함께 돈뭉치(유로, 루블, 엔, 센트), 유키까지 총 여섯 마리는 그대로 나의 반려묘가 되었다.

이듬해 센트를 너무 예뻐하던 친했던 남동생의 성화에 못 이겨 센트를 입양 보냈지만 3일 만에 파양되었다. 애교쟁이에 개냥이, 접대냥이였던 센트는 그 후 트라우마가 생겼는지 180도 성격이

유로!

루블!

엔!

센트…다냥

바뀌어 이동장만 꺼내도 자기를 버리는 줄 알고 엄청 서럽게 울어대는 겁쟁이가 되어버렸다.

센트의 가슴 저린 입양 실패 후 입양이란 나에게 커다란 두려움이자 센트에 대한 죄책감과 미안함으로 내내 남았다. 센트를 다시 데려온 그날 밤, 센트를 안고 울면서 이 녀석들과는 끝까지 함께하리라 굳게 다짐했다.

사실 이야기가 이렇게 끝났다면 상실이에게 미안함이 조금은 덜 했으리라. 하지만 이야기는 끝이 나지 않았다. 이후 그보다 더한 일들이 기다리고 있을 줄 상실이는 전혀 몰랐을 것이다. 내가 그러했듯이.

상실이는 그 후에도 이사를 여러 번 겪게 된다. 가난했던 나에게 언제나 편한 이사란 없었고 용달차가 오면 여섯 마리가 받을 스트레스 걱정에 발을 동동 굴리며 아이들을 먼저 이동장에 넣어 천으로 덮어두고 앞좌석에 놓은 뒤 바쁘게 짐을 나르는 것이 이사 때마다 일관된 모습이었다. 처음 이사할 때는 나를 찾으며 많이 울었던 상실이는 이사 횟수가 거듭할수록 점점 조용히 상황을 파악하여 고양이 같지 않은 모습을 보여주었다. 그리고 언제나 다른 아이들을 먼저 챙기는 의젓한 첫째였다.

나는 지방에서 살다가 서울로 이사하면서 일은 더 많아졌고 간헐적으로 하던 일을 점점 본격적으로 하게 되었다. 개인 디자이너 브랜드의 디자인 팀장 일을 하다가 통역과 강사 일을 시작했으며 그동안 해왔던 일의 특성상 규칙적인 생활이란 얻을 수 없는 일 상들이었다. 재정적인 어려움이 늘 있던 시기라 낮에도 야간에도 닥치는 대로 여러 가지 일을 쉼 없이 해야만 했기에 상실이와 돈뭉치들은 하루 종일 나를 못 보는 일이 잦았다.

그래도 매일 아주 잠깐이라도 헐레벌떡 뛰어가 아이들을 보듬고 챙겨주며 나름 노력이란 걸 했지만 당연히 나의 반려묘들에게는 오랜 기다림이자 외로움이었으리라. 그래서 그때의 시간들은 아직도 심장에 못을 박은 것만 같은 죄책감으로 남아 있다.

이후로도 상실이는 만화가인 신 집사님 반려묘 두 마리와 잠시 지내게 되었고 한바탕 이사를 또 겪고 나서 이제 함께할 수 있나 싶었건만 이사하고 1년 뒤 집사란 인간은 도통 집에 있는 시간이 거의 없었다. 카페와 아이들을 맡기로 결심한 순간부터도 상실이와 나는 어쩔 수 없이 함께할 수 있는 시간이 현저히 줄었다.

카페 아이들과의 합사

신 집사님은 마니아층이 많은 만화가로 평화로이 지내던 사람이었다. 그 출중한 재능을 마음껏 펼쳐보지도 못하고 나로 인해 카페에 강제 소환되어 삶이 송두리째 바뀐 두 번째 사람이다.

첫 번째는 지금의 삶을 살게 되리라고 스스로도 가늠할 수 없었기에 나 자신이라 할 수 있겠다. 신 집사님 역시 얼떨결에 고양이를 구조하여 반려하게 된 왕초보집사였다. 상실이와 일찍이 먼저 만난 남이, 깨순이 중 깨순이는 도도한 지금 모습처럼 길 한복판에 웬 밤송이 한 마리가 아장아장 걸어가기에 구조하게 된 새끼 고양이였다.

구조해온 직후부터 당차게 혼자 사료를 오독오독 씹어 먹던, 턱시도를 반듯하게 차려입은 독립적인 성격의 조용한 암컷이다. 남이는 한 여름에 구조되었는데 박스에 버려진 것으로 추정되는 새끼고양이 두 마리 중 한 마리로 신 집사님의 여자 친구가 키웠으나 고양이 알러지와 천식이 심해져 입양을 보내게 된 것이다. 하지만 한 마리는 입양에 성공했으나 입양을 끝내 못 가고 남은 한 아이는 신 집사님이 맡게 되었다. 남이의 이름이 어떻게 만들어졌는지 이유를 물으면 신 집사님은 언제나 단답형으로 대답한다.

"남아서."

그렇게 신 집사님이 구조한 새
끼고양이 두 마리는 오누이처럼
꼭 붙어 지냈고 조용한 신 집사
님의 만화가로서 생활과 함께 평
화로운 날들을 누리던 아이들이
었다. 카페로 이사 오게 되어 살
아생전 처음 만났을 엄청나게 많
은 〈커피타는 고양이〉의 대 군단
을 만나기 전까지는.

바야흐로 〈커피타는 고양이〉 카페를 시작하게 된 2013년 8월
이후 그해 겨울 나의 반려묘와 신 집사님 반려묘 그리고 카페 고
양이들의 합사는 적응되기까지 몇 개월간의 대장정이었다. 단계
적인 합사를 시도할 수 없었던 예전 카페 구조 상, 아이들은 서로
가 서로에게 개방되어 늘 노출될 수밖에 없었고 서열에 밀려 구
석에서 따돌림 당하는 아이도 생기게 마련이었다.

대책은 단 하나였다. 그만큼 각자의 반려묘들에게 시간을 들여

보듬어주는 것. 방패가 되어 주는 것. 하지만 역시 고양이들의 성향 문제였다. 그나마 다행이라면 각자의 반려묘들이 여럿이어서 서로 뭉쳐 카페에서 끝까지 버티고 기어이 적응에 성공했다는 것이다. 깨순이와 남이 그리고 돈뭉치 4남매와 유키는 간신히 적응에 성공했지만 상실이는 스트레스를 너무 많이 받아 결국 노르와 웨이가 나와 함께 지내던 원룸으로 옮기게 되었다.

얼마 뒤 구조 후 카페에 온 새끼고양이 미륵이와 로또는 많은 아이들과 지내기에는 면역력이 너무 약해 다른 곳에서 지내면 좋겠다는 최 원장님의 권고로 역시 원룸으로 옮겨야 했다. 지금 되돌아보면 어쩔 수 없는 집사들의 상황과 선택 속에서 그 모든 것을 감내해준 반려묘들에게 너무 미안하고 너무 고마운 마음뿐인 것은 신 집사님도 나도 마찬가지일 것이다.

아주 가끔씩 생각나곤 한다. 상실이와 내가 오붓하게 단 둘이서 처음으로 나 혼자 살게 된 원룸에서 햇살 가득 내리쬐는 창가를 등지고 함께 자던 2주간의 평화로운 풍경이…. 그 속에서 상실이는 한껏 어리광을 부리고 애교를 부리며 내 팔을 베고 잠들어 있다. 항상 잘 때쯤에는 길게 "웨옹~"거리며 다다닷 뛰어와 배, 허리, 팔 등을 조그마한 두 앞발로 꾹, 꾹, 안마해주던 한 살 령의 어

린 고양이.

　나의 첫 반려묘는 노묘가 된 지금까지 나와 단 둘이 평화로이 지냈던 적이 그때 그 시절 단 2주뿐이었다.

　다른 40마리의 집사이자 엄마가 되어버린 지금, 한 마리의 노묘와 다섯 마리의 성묘와 두 마리의 캣초딩과 한 공간에서 잠든다. 여전히 어린 고양이를 먼저 챙겨야 하는 상황이 못내 미안해서 상실이를 볼 때마다 코끝이 시큰해진다. 일부러 상시르가 팔베개를 하고 잘 자리를 만들어놓고 이불을 들며 이름을 부르면, 눈이 동그래져서 나를 보다가도 옆에 딱 붙어 웅크리고 잠든 두 마리의 꼬마 냥이들 코난이와 퐁당이를 물끄러미 바라보다가 조용히 다가와서 두 아이들을 정성스레 그루밍해주고는 조금 멀찌감치 나를 바라보며 동그랗게 몸을 말고서 잠을 청하는 착하고 착한 상시르.

　나의 첫째, 나의 첫 반려묘는 그렇게 호젓한 때를 누려보지도 못하고 무던한 세월 속에서 어느새 노묘가 되어 여전히 묵묵하게 내 옆에서 가만히 잠이 든다.

네가 있어 고맙다냥.

함께해주어서 사랑한다냥.

여기 있을 수 있어 행복하다냥.

외롭지 않고, 고민 없이

마음껏 먹을 수 있는 이곳이

파라다이스다냥. 뭐 그까이꺼,

지금에 만족하면

걱정 근심도 싹 사라진다냥

〈커피타는 고양이〉 카페는
언제나 '호기심 천국'이다냥.
찾아주시는 손님들이
언제나 궁금해서
우다다가 끝이질 않는다냥.

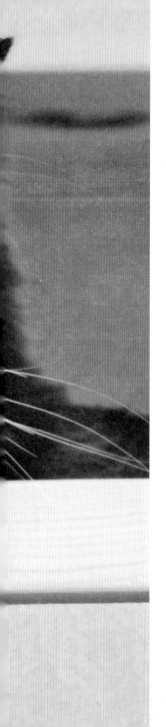

고양이는 신이 빚어낸 최고의 걸작이다.
– 레오나르도 다 빈치 –

쉼터로서 카페의 시작

수없이 반복해서 늘 진심을 다해 전해왔던 것이 바로 '왜 이 카페를 하게 되었는가'였다. 충분히 설명했다고 생각이 들다가도 한편으로는 여전히 많은 사람에게 늘 받는 질문이다.

2013년 7월 말 기존에 고양이 카페로 영업 중이던 〈커피타는 고양이〉를 인수하게 되었다. 내가 그려왔던 카페의 모습은 언제나 갈 곳 없는 아이들의 보금자리이자 늘 그 자리에 있는 쉼터로서 공간이었다. 내가 구조한 아이들이 편안하고 건강히 지내고 입양을 가게 되는 그런 소소한 순환 속에서 '몇 아이들이라도 더 건사할 수 있으면 좋겠다'라는 아주 자그마한 소망이 있었지만 그 속에서 언제나 충돌하는 것이 바로 자생할 수 있는가였다. 넉넉지 않은 형편에 여덟 마리의 집사였던 터라 수입 또한 생각하지 않을 수 없던 현실이었다.

〈커피타는 고양이〉라는 카페에 손님으로 처음 방문했던 그날이 아직도 기억에 생생히 남아 있다. 지도를 아무리 찾아도 찾기 어려운 위치여서 한참을 근처에서 뱅글뱅글 돌다 찾게 된, 평소 좋은 평가를 받던 고양이 카페. 사실 많은 고양이 카페들을 다녀봤

고 서울에선 안 가본 곳이 거의 없을 정도로 꾸준하게 고양이 카페들을 찾아다니곤 했었다. 하지만 구체적인 목표를 가지고 찾아다녔던 것은 아니다.

그렇게 아무 생각 없이 오게 된 카페에서 내 삶이 송두리째 바뀔 거라고는 상상조차 못 했다. 내가 그려온 쉼터는 언제나 재정적인 문제가 얽힌 난관 속에서 빠져나올 길이 보이지 않았고 풀리지 않던 문제로 인해 늘 좀 더 멀고 먼 미래로 미루어지는 것이 너무나 당연했다. 처음 방문했던 카페에 들어서자마자 여기저기 있던 아이들이 몰려들었다. 아무도 없는 카페에 얼마간 덩그러니 혼자였다. '처음'이 주는 낯선 느낌.

누구에게나 이러한 기억의 조각들이 있을 것이다. 지금은 큰 의미거나 너무 소중한 의미가 되어버린 어떤 무엇. 나에게도 그러한 기억 속에 〈커피타는 고양이〉의 시작이 존재하고 있다. 그때는 몰랐던 지금의 내 전부가 되어버린 41마리와 함께 살고 있는 쉼터이자 집이자 보금자리인 공간이.

많은 아이들의 환영을 받으며 내내 마음 한 켠이 묘하게 서늘했다. 나도 꽤 여러 번 길고양이들을 구조해왔고 여덟 마리 집사였지만 내가 고양이에 대하여 모르는 것이 더 많았던 모양이다. 처음 보는 사람에게 하나같이 몰려드는 20마리가 넘는 아이들이 이루던 부채꼴 모양의 진형은 나를 당황케 하였다.

혼자 한 마리 한 마리를 살펴보니 대체적으로 눈물이 흘러나온 채 굳은 아이가 많았고 귀 청결 상태도 좋지 않았다. 기관지염이 돌았던 것일까. 그렇다고 하기에도 아이들의 움직임은 어딘가 모르게 건강한 느낌을 머금은 생기가 없었다. 그러다 문득 눈에 들어온 것이 있었다. 한 켠에 자리한 격리 케이지에 웅크리고 있던 검은 색의 새?

고양이 카페에 새가 있을 리가 있나. 그것이 새가 아닌 아픈 고양이라는 것을 알게 되자 새삼 스스로의 무의식적인 무지함에 당황하면서도 아이의 모습에는 놀라움을 금할 길이 없었다. 당장이라도 바스러져 사라져버릴 것 같던 깡마른 검은 색 고양이는 정확히 향해 있는 시선의 대상이 없는 채로 삶도 죽음도 아무런 상관이 없다는 듯 동그랗게 몸을 웅크리고 가만히 있었다.

가만히 들여다보다니 들숨 그리고 날숨, 살아 있는 것이 분명한데 어떻게 저런 표정으로 있을 수 있는 것일까. 수많은 물음표를 풀어낼 마땅한 방법이 없었기에 묵묵히 지켜보다가 생각보다 빠른 시간 안에 카페를 나오게 되었다.

날선 느낌을 겪었던 그날 이후 무시하려 애써도 처음 보았던 카페 아이들과 까만 아이의 눈빛이 가슴에 박혀버렸다. 몇 날 며칠

잠을 못 이루던 중 많은 날이 흘러갔고 꽃잎이 흐드러지던 어느 봄날 우연처럼 동명의 고양이 카페를 내놓는다는 글을 보게 되었고 그날부터 미친 사람처럼 여기저기 뛰어다니며 만나는 사람마다 붙들고 투자자를 구하기 시작했다.

사실 어림 반 푼어치도 없던 소리였다. 통번역과 바리스타, 바텐더, 시간강사 등 수많은 일들로 정신없던, 여유라고는 눈곱만큼도 없던 나였고 건강 상태도 좋지 않았다. 밑바닥을 들여다보면 가난함이 존재한다는 것을 조금만 관찰해보아도 알 수 있는 일이었다.

결국 뭔가 홀린 것처럼 기를 쓰고 카페를 인수하려 날뛰던 나를 보다 못한 신 집사님이 나섰다. 신 집사님이 힘들고 어렵게 구한 큰 자금과 내가 구한 얼마 안 되는 돈으로 간신히 카페를 인수할 수 있었다.

카페의 20마리와 두 집사의 반려묘 여덟 마리, 넉넉잡아 30마리 고양이들의 병원비를 염두에 두고 구한 자금이었고 그래서 여유 있게 구한 금액이었다. 처음에는 자신 있었다. 여태 그래 왔던 것처럼 열심히 뛰고 일해서 매달 차근히 갚아나가고 나중에는 모든 부채를 상환할 자신이.

하지만 빛나던 자신감은 카페를 인수하자마자 한 순간에 무너지기 시작했다. 여러 가지 피치 못할 상황이 꼬이면서 아이들에 대한 어떠한 정보도 디테일한 인수인계도 없이 전 업주와는 연락이 닿지 않았다.

그렇게 홀로 결국은 내가 책임져야 할 모든 현실을 감내해야 했다. 20마리가 넘던 고양이들의 화장실에는 고양이 모래 대신 엄청난 크기의 벽돌색 고무욕조만큼의 구더기를 처리하느라 토악질을 거듭했다. 기침과 냄새와 싸우면서 방진마스크를 끼고 청소로 매일을 고되게 보냈다. 해도 해도 혼자서는 도무지 끝이 보이지 않는 청소와 사람을 너무 믿었으며 너무나 멍청하고도 안일하며 미련했던 나의 생각을 비웃듯 보던 것과는 너무 다르게 손봐야 할 곳이 많았다.

그러던 어느 날 몸이 부서질 것 같은 통증 속에서 카페에 멍하니 주저앉아 있었다. 몇 시간이 흘렀을까. 목 놓아 울 수도 없었고 누군가에게 도움을 청할 길도 없었다. 그 누구를 탓할 일 또한 아니었다. 가장 중요한 것은 '그래서 어떻게 할 것인가'였다.

누구를 탓할 수도 없었다. 다름 아닌 내 탓일 뿐이었다. 무지했던 것이 크나큰 실수이자 죄였다. 하지만 진흙탕의 늪과 같았던 두 달간의 시간 속에서도 나만을 바라보던 아이들의 눈빛이 다시금 나로 하여금 이를 악물게 했다.

죽기 살기로 카페와 아이들에게 매달렸다. 끙끙대던 나를 내내 지켜보던, 나와도 매우 친하게 지냈던 신 집사님의 친구인 노 집사님과 신 집사님 두 사람이 결국 두 팔 걷어붙이고 돕기 시작했고 아주 서서히 진흙탕에서 희망의 빛이 보이기 시작했다.

하지만 나는 뒤늦게 깨달았다. 카페 아이들의 상태가 너무 심각하다는 것을. 카페 오픈과 병행하여 이루어진 병원 진료는 매일이 전쟁터를 방불케 했다. 사람이 다가가기만 해도 발톱을 세우며 으르렁대던 몇 아이들을 병원에 데려가는 일 자체가 엄청난 노동이었다.

그때부터였다. 나는 이를 악물고 다짐했다. 아이들 모두를 끝까지 지켜내고야 말겠다고. 어차피 내 삶에서 단 한 번도 쉬운 일은

없었다. 더할 것도 없었다. 그냥 연장선이라 생각하자. 그 생각의 끝에는 언제나 사람을 사랑하고 굳게 믿으며 하염없이 졸졸 따라오던, 그래서 더 가슴 쓰라리도록 아팠던 아이들의 곧은 눈빛이 오직 나만을 바라보고 있었다.

결국 아이들은 눈부시게 달라졌다. 죽기 살기로 전투적으로, 어쩌면 무식하다 할 만큼 물불 가리지 않고 덤벼들었다. 온 몸에 상처가 나서 피가 나도 정말이지 전혀 아프지 않았다. '그래 너는 할 만큼 해라. 나는 포기 안 할 것이니 결국 네가 질 거야. 너도 힘들겠지. 다 안다. 그래도 같이 살아보자. 제발'이라고 되뇌는 동안 시간은 무던하게 흘렀다.

치열한 시간 속에서 무지막지한 대 군단의 치료를 함께 묵묵하게 버텨준 병원 분들 덕분에 아이들은 어렵고 힘든 치료와 수술 그리고 끈질긴 케어를 통해 매우 건강한 상태에 이르렀다.

얻은 것이 있다면 자연히 잃는 것도 있는 법이다. 많은 아이들의 치료와 수술, 업소용 기계들이 고장 나서 든 수리비 그리고 카페에 필요했던 기계들을 장만하느라 막대한 자금이 나갔고 병원비로 인해 준비해둔 자금은 순식간에 소진되어 미수금이 넘치기 시작했다.

카페 매출은 극악할 정도로 심각해 거의 1년간 바닥이었다. 당연히 어렵게 구한 초기 자본들은 부채로 고스란히 떠안게 되었다. 지금은 많은 사람들의 소중한 발걸음이 이어지고 단골들의 입소문이 퍼지면서 매출은 예년에 비해 좋아졌음에도 여전히 재정난이 계속될 수밖에 없었다. 안팎으로 여러 가지 프로젝트를 진행하며 방법을 모색하고 있지만 프로젝트가 끝날 시점까지는 또다시 숨 막히는 하루살이가 여지없이 기다리고 있었다.

그러나 극악무도한 현실에 내던져졌어도 단 한 번도 후회한 적은 없다. 아이들이 건강해졌으니 그래도 얼마나 다행인가. 그렇게 매 순간 되뇌면서 또 그렇게 많은 분들의 조건 없는 도움을 받기도 하면서 하루하루를 쉼 없이 일하기 시작했다.

세상에 원래 그런 고양이는 없다

카페를 인수하면서 성격과 성향 때문에 가장 걱정이 되었고 때로 문제였던 '만두(아리), 블랑, 난, 뮤' 이 아이들은 하나같이 사나웠으며 가까이 가는 것마저 허락하지 않았다. 카페 문 앞에 경고 문구가 붙어 있었을 만큼 그중 아리라는 러시안 블루 암컷 고양이는 불시에 사람을 물어버리는 아이였다.

이상한 일이지만 아리는 처음부터 나에게는 살가웠다. 심지어
나는 아리가 얌전한 러시안 블루 은비인 줄 착각하고 한 달 동안
아리에게 "은비야~"라 부르면서 안고 다녔다. 반면 은비를 "너!
아리지! 너 왜 그러는 건데 응? 응!" 하면서 죄 없는 아이를 멀리
했다.

　지금 생각하면 웃긴 이야기지만 나중에는 경악하긴 했다. 카페
서랍 어딘가에서 발견한 경고 문구. 나에게 안긴 채 앙탈부리는
동글동글한 이 아이가 악명 높은 아리라는 것이었다. 나는 입을
벌린 채 멍하니 은비와 아리를 번갈아 보았다. 그저 애정이 부족
했을 뿐이라 생각하며 아리라는 이름 대신 왠지 어울리는 만두라

부르기 시작했다. 하지만 만두는 시끄럽거나 신경에 거슬리는 경우 사람을 가끔씩 물기는 한다.

장모의 진한 삼색 코트를 멋지게 입고 있는 예쁜 뮤는 슈와 자매였다. 어느 날 오랜 단골들이 내가 슈와 뮤의 이름을 바꾸어 부르고 있다며 합창하듯 깔깔대며 웃었다.

"뭐, 지금 부르는 게 더 어울리는 걸. 그냥 그렇게 가죠."

삼색 코트의 뮤는 자궁 쪽 염증이 심한 질환(슈와 뮤는 나란히 자궁축농증, 자궁수막염으로 수술을 받았다)으로 카페를 인수하자마자 슈와 함께 중성화 수술을 받았고 수술 후 안정이 되고 나니 알게 되었다. 뮤는 그저 조용한 것을 좋아하는 겁이 많은 고양이였던 것임을.

사나움이 나날이 드높았던 블랑이는 갈색의 멋진 몸매를 자랑하는 아비시니안 암컷 고양이로 작년까지는 사납다고 할 수 있었다. 중성화 수술 이후로도 사나웠고 물론 지금도 그러한 편에 속하지만 오랫동안 블랑이를 봐온 사람은 알 것이다. 지금의 블랑이가 예전 그 모습이 아니라는 것을.

블랑이는 원래 사나운 고양이가 아닌 그저 중성화 수술을 해주지 않아 예민했고 아이들로부터 따돌림과 집중 공격을 당하다보니 화장실 출입 자체가 힘들었던 것이다. 카페 여기저기에 자신만의 화장실을 만들 수밖에 없었던 소심하고 약한 고양이. 바닥에 내려오는 일조차 서열 싸움에 밀려 허락되지 않았던 블랑이는 늘 상처투성이였고 그래서 블랑이를 나도 모르는 사이에 보호하게 되었다.

꾸준히 따로 숨을 공간과 쉴 공간을 만들어주고 다른 아이에게 공격당할 때는 블랑이 편에 서서 보호해주며 공격을 주도하던 아이를 혼내고…. 그렇게 2년의 시간을 보내고서 지금의 카페 자리로 오고 나니 사나운 고양이 블랑이는 더 이상 없다. 햇살 아래에 늘어지게 온몸을 펴고 낮잠을 자다가 간식 뜯는 소리가 나면 번개처럼 달려와 두 눈을 초롱초롱 빛내는, 식탐 많은 갈색의 멋진 몸매를 자랑하는 블랑이가 있을 뿐.

난이는 체구가 가장 작은 아이였다. 블랑이와 더불어 카페에서 사납기로 둘째가라면 서러울 아이였다. 블랑이와 같은 문제점이 보이던 아이였지만 가만히 지켜보니 그저 관심과 애정이 부족한 게 아닐까 하는 생각이 들었다. 엄살이 유달리 심했고 다가가서 안으면 소리를 지르며 온몸으로 버둥대고 할퀴는 시늉을 하고 물으려 했지만 제대로 물었던 적은 단 한 번도 없었다. 그래서 나는 난이를 앙탈쟁이라고 소개하곤 한다. 언뜻 보기에는 사나워 보여 흠칫 놀라기도 하지만 막상 예뻐해주면 한없이 애교와 앙탈을 부리는 귀엽기만 한 겁쟁이 아가씨 냥이.

카페의 많은 아이들을 케어하면서 지금까지 매번 단단해지는 생각이 있다면 그건 바로 세상에 '원래 그런' 고양이는 없다는 것이다.

고양이의, 고양이에 의한, 고양이를 위한
〈커피타는 고양이〉가 넘흐넘흐 좋아냥.

우린 신천역 어딘가에 있다냥.
네이봉이나 다음에서 검색해보면
찾을 수 있다냥.

냥사마들이 집사들을
기다리공 있다구냥.
날래날래 오라냥.

세상에 평범한 고양이는 단 한 마리도 없다.

- 코레트-

꿈꾸는 냥다방

정말이지 이럴 수는 없다고 허공에 소리를 내지를 정도로 카페를 지켜나가던 2년의 시간은 사건의 연속이었다. 어느 정도 무뎌질 법도 하지만 매번 심장이 땅으로 깊숙이 꺼지는 빛 하나 없는 암흑을 경험하곤 했다.

생각만 해도 몸서리가 쳐지는 2014년 겨울, 아마 이때는 평생 기억에 남을 것이다. 오랫동안 연체되어 있던 임대료 미수금이 보증금을 넘어서게 되고 그간 오랜 인내심으로 참아주던 건물주의 최후 통첩으로 인해 차디찬 엄동설한에 서른 마리도 넘는 아이들을 데리고 거리에 나 앉을 상황이었다. 그중에는 아픈 아이들도 아직 많았다.

당장 얼마의 시간이라도 벌려면 몇 백만 원에 해당하는 금액을 하루아침에 구해야 하는 상황. 은행을 털 수도 없고 그럴 재간도 없었다. 1년하고도 몇 개월을 끈질기게 버티면서 내가 할 수 있던 모든 방법은 이미 총동원되어 누가 보아도 말도 안 되게 버티고 있던 시점이었다.

고장 난 난방기를 새로 장만할 돈이 없어 전기장판 여러 개를 사서 바닥 여기저기에 깔아주고 낮에는 웃으며 손님을 맞이하고 밤엔 김밥으로 때우면서 따끈한 장판 속에서 잠든 아이들을 부둥켜안고 지새웠다. 전기세는 하늘을 치솟았지만 추워진 날씨에 한창 감기를 달고 살던 아이들을 떨게 할 수는 없었다.

나는 매 순간 지옥을 경험하곤 했다. 머리를 아무리 쥐어뜯어도 앞은 캄캄하기만 했고 더 이상 어떤 방도가 없었다. 하지만 아이들을 생각하면 주저앉아 울 수도 없는 노릇이었다. 한 마리 한 마리 어루만지며 소리 없이 하얗게 밤이 새도록 울음을 토해내었다. 비닐하우스라도 갈 수 있다면 가야 할 상황이지만 그마저도 없었고 당장 이사 비용조차 없었다.

운 좋게 간다고 하여도 꾸준히 병원을 다니며 약을 먹어야 했던 아이들의 건강과 낯설고 열악한 환경에서 아이들이 받을 충격과 스트레스에 몸서리가 쳐졌다. 절망적이었다. 하지만 그 속에서도 미친 듯이 전화를 걸고 뛰어다니면서 없는 방도를 찾아 헤맸다.

절망의 늪에서 정신이 반쯤 나간 상태로도 만 원짜리 몇 장이라도 벌어야 했기에 카페 문을 매일 열었다. 오늘도 내일도 변함없이 웃으면서 손님을 맞이했지만 가슴은 서서히 피멍이 들기 시작했다. 그러던 중 카페로 전화가 걸려왔다.

"네~ 〈커피타는 고양이〉입니다."

"그… 아… 저기… 혹시 월세가 얼마나 밀린 건가요?"

"네??"

낯선 사람의 뜬금없는 직설적인 질문에 참으로 당황했었다. 다시 정신을 차리고 목소리를 가다듬고서 이야기를 이어갔다.

"아… 네… 글 올린대로인데… 혹시 글 때문에 뭔가 문제가 생긴 건가요?"

"아뇨, 아뇨… 그런 게 아니라… 걱정이 되어서요."

그렇게 시작된 전화기 너머 여자 분과의 대화는 조금씩 차분해졌다. 아이들을 걱정해주던 그 서툰 듯하지만 애정이 가득 담긴 마음. 너무나 큰 위로가 되었다. '그래. 이런 진심어린 마음을 받다니 그래도 헛살지는 않았구나' 하면서 눈가가 촉촉해져왔다. 조심스레 현재 상황을 구체적으로 묻고 있었지만 담담하게 대답할 수 있었던 것은 아무 기대도 할 수 없는 상황이었기 때문이다.

당장 내일이 미납금을 내야 하는 날짜였다. 전화를 끊고 따뜻해진 마음을 안고서 손님이 주문한 음료를 만들고 있는데 다시 전화가 걸려왔다.

"뭐라고요? 뭘 어쩌셨다고요?"

　음료를 싱크대에 엎은 채 나도 모르게 소리쳤다. 정신줄이 머리를 뚫고 가출한 채로 당황하여 황급히 통장을 살펴보니 100만 원이란 거금이 입금되어 있었다. 나는 다짜고짜 전화를 걸어 소리치기 시작했다. 도대체 정신이 있는 사람이냐, 뭐 하는 곳인 줄 알고 이런 큰돈을 입금했느냐, 힘들게 번 돈을 이렇게 모르는 사람에게 주면 안 되는 거다, 그러다 사기당하면 어쩌시려고 이러느냐. 그분은 갑자기 조그맣게 웃으면서 말했다.

"아. 하하. 거참. 윤 집사님은… 꼭 우리 엄마 같네요. 내 돈 주고 이렇게 욕먹기는 첨이네요."
"아…."

　그제야 정신을 차렸다. 다시 목을 가다듬고 말했다.

"그게… 아, 죄송해요. 근데… 이게 얼마나 벌기 힘든 돈인데.

비참한 삶에서 벗어날 수 있는 방법이 두 가지 있다.
그것은 고양이와 음악이다.
- 앨버트 슈바이처 -

하루하루 고생해서 모았을 돈인데 이 돈을 어떻게 받아요."

목이 메여왔다. 현실은 너무나 초라했다. 그렇게 남이 고생해서 하루하루 벌었을 돈을 마다할 처지도 못 되었다. 하지만 그래도 차마, 차마 받을 수 없었다. 그럼에도 끝까지 나를 설득하던 그 목소리가 아직도 귓가에 생생하다.

"윤 집사님. 저는 어차피 그 돈 당장 필요 없어요. 아이들 먼저 생각하시고 받아주세요. 드린 마음 사양하시면 제가 너무 초라해집니다. 나중에, 나중에 엄청 잘되셔서 그때 크게 돌려주세요."

"정, 그러시다면 카페로 꼭 와주세요. 차용증이라도 받으셔야 합니다. 와서 제 얼굴 직접 보시고 다시, 다시 한 번 생각해보세요."

그렇게 목이 메던 다음날 새파랗게 내려와 어슴푸레하게 눈을 감던 저녁 하늘 속에서 그 사람은 새하얗게 웃으며 수줍은 인사를 건네며 찾아왔다. 회사 다니면서 힘들게 모아 매달 부은 적금의 이자가 너무 작아서 해지했다며 오히려 500만 원을 더 마련한 채. "직접 드리면 안 받으실 거 같아서 제 맘대로 이체할 거예요"라며 해맑게 웃으면서.

울지 않으려 입술을 물고 또 이를 악물고 있던 내 두 손을 꼭 잡아주던 그분이 가시던 길. 정신없이 실내화를 신은 채 건물 밖까지 따라 나가 배웅하다 연신 잡은 손을 놓지 못하고 한참을 서 있다가 "힘내세요"라고 속삭이며 수줍게 꼭 안아주던 처음 보는 여자 분의 품에서 결국 엉엉 목 놓아 한참을 울어버렸다.

지금의 〈커피타는 고양이〉는 수천 명의 응원과 수백 명의 도움으로 하나하나 쌓아올린 18일간의 소리 없는 기적이 이루어낸 공간이다. 기적의 공간 속에서 많은 사람의 진심어린 마음을 담보로, 나는 없었을 목숨을 덤으로 살아가고 있는 셈이다. 꿈이 이루어졌던 '꿈꾸는 냥다방'은 지금 내 눈앞에 실제로 펼쳐지고 있었다. 많은 일들을 낱낱이 겪고 보니 그제야 믿게 되었다. 진정이 담긴 진심은 닿기 마련이란 것을.

눈물겨운 엄청난 무게의 진심을 모두 받게 된 나는 매일 매 순간 생각한다. 끝까지 카페와 아이들을 지켜내어 마지막 순간이 올 때까지도 그렇게 치열하고 열렬하게 살겠다고. 내 인생 전부를 걸고 평생에 걸쳐서라도 반드시, 반드시… 그 마음들에 보은해야겠다고.

"고양이가 집사 무릎 위로 점프한다고?
그건 단지 집사의 무릎이
다른 곳보다 따뜻하기 때문이라옹.
오해하지 말라옹."

너의 작은 심장소리

카페에 흐르는 음악. 플레이리스트 중 무작위로 흘러나오는 노래. 매일 듣는 것이 음악이고, 말 그대로 배경음악으로 지나갈 뿐이다. 하지만 어떤 노래는 나를 잠시 멈추어 허덕이는 일상에서 저 멀리로 데려가곤 한다. 심장소리 같은 노래의 전주가 시작되면 이미 내 시선은 먼 곳에 가 있다.

♫ you're just a small bump unborn.

쓰레기봉투에서 구조했던 라떼 형제들 중 살아남은 아이는 한 마리도 없었다. 아니 살려내지 못했다. 한 아이를 손바닥 위에 놓고 한없이 만져주며 내 숨을 대신 불어넣어주면서도 미처 잡지 못한 눈물이 얼굴을 타고 양 갈래로 하강한다. 아무리 애를 써도 구할 수 없던 작은 아이는 숨을 쉬어보겠다고 최대한 뻐끔거리며 고통스러워했지만 나에게는 없었다. 그 고통을 끝내줄 잔인한 용기도, 그 고통에서 꺼내줄 삶으로 끝어내는 방법도.

그렇게 고통 속에서 숨이 멎어가는 모습을 보며 몇 시간을 눈

물과 콧물로 범벅이 되었다. 하지만 무력하게 지켜볼 수밖에 없는
내가 원망스럽기도 했다. 밤새 엉망이었던 내 몰골보다 더 엉망이
었던 것은 내 심장이었다. 한 아이를 떠나보낸 약 한 시간 뒤 다른
아이 하나는 뒤를 따르듯 조용히 그러나 아주 빠르게 앞선 아이
들을 따라갔다.

♪ I'll hold you tightly, I'll give you nothing but truth.

조그마한 두 아이의 주검이 담긴 작은 상자를 품에 안고 화장을 맡기러 병원으로 가는 길이었다. 서늘한 새벽공기는 바닥에 내려앉아 있고 따가운 태양이 두 눈에 박히고 있었다. 묵묵한 표정으로 스스로를 가다듬으며 동물병원 원장님께 아이를 맡기고 도망치듯 황급히 병원 문을 나섰다.

병원 앞을 쌩쌩 달리는 자동차들이 일으키는 바람이 날아다니는 8차선 도로 옆 삼각대. 풀숲이 보이는 그 자리엔 둥그렇게 벤치가 있다. 아주 천천히 앉는다. 내 마음도 아주 천천히 가라앉고 있었다.

'미안해 아가야. 미안해. 구해주지 못해서 미안해. 살려주지 못해서 미안해. 너무 미안해. 미안하다.'

혀끝을 맴도는 슬픔의 흔적 아래로 허망한 숨소리만 들려왔다. 아이를 애도할 시간도 사치였던 그때 나는 어쩔 수 없는 서른다섯 마리의 엄마라서 실컷 슬퍼할 수도 없었고 아이가 가는 길을 봐줄 수도 없었다.

♬ You are my one and only, you can wrap your fingers round my thumb and hold me tight.

눈도 채 떠보지 못하고 떠나간 작은 아가들. 가끔씩 그 아이들의 눈은 어떤 색이었을까 상상해보곤 한다. 하지만 나는 알고 있다. 이런 상상은 아무런 소용도 쓸모도 없다는 것을. 이런 데에 소모할 감정은 지극히 사치스러운 것이며 남겨진 아이들에게 써야 한다는 것을.

길고양이들과 유기된 고양이들을 구조하면서 가장 무섭고 두려운 순간이 있다. 도둑고양이에게 또 밥을 주면 개망신 당하게 할 테니 각오하라거나 죽여버리겠다며 차마 입에 담을 수 없는 욕을 듣는 순간도 아니다. 오랜 시간 밥을 챙겨주며 멀리서 자라는 것을 지켜보던 아이가 누군가의 잔인함과 서슬 퍼런 외면 때문에 보란 듯 처참한 모습으로 널브러져 있는 것을 발견하는 순간도 아니다.

가난한 살림과 더 이상 미룰 수 없는 병원비에 허덕이며 비어 있는 통장 잔고를 매번 확인하는 순간도, 가족과 친구에게 왜 그러고 사냐며 한심하다는 핀잔을 듣는 순간도 아니다. 오히려 내가 이 아이를 지켜줄 수 없다는 걸, 내가 이 아이를 살릴 수 없다는 것을 뼈저리게 직감하는 바로 그 순간이다.

어미고양이의 따뜻한 품에서 젖을 먹고 있던 새끼고양이들을 억지로 떼어내어 미리 준비해둔 비닐봉지에 모조리 쓸어 담은 뒤 혹시라도 살까 싶은 시커먼 걱정에 남은 숨마저 쉴 수 없게 비닐 봉지를 꽉 묶어서 그것도 모자라 비가 오는 날 쓰레기봉투 속에 구겨 넣어 내다버린 당신, 당신에게 진정 묻고 싶다.

"도대체 당신의 심장은 어디에 버린 것인지."

살아 숨 쉬는 일곱 마리의 작은 생명들을 어미고양이가 보는 앞에서 한 마리씩 차례로 떼어내어 처참하게 내다버린 당신의 심장은 아마도 쓰레기봉투에 함께 버렸을 것이다. 아니면 그 이전이거나….

동물을 구조하는 많은 사람들, 길고양이들을 위해 오늘도 한없이 시커멓게 문드러진 심장을 묵묵히 쥐고 하염없는 길을 나서며 아이들을 살피는 사람들 그리고 어쭙잖은 나에게도 심장은 하나로 부족하다. 당신이 쓰레기로 내다버린 심장은 내가 잘 받아두었다. 전혀 마음에 드는 심장은 아니지만 잘 받아서 다른 아이들을 위해 내가 좀 사용하겠으니 넓고 깊은 마음으로 이해해주기를.

오늘도 아이들을 고양이 별로 아프게 보내고 넝마가 되어버린 심장으로도, 그 심장이 주는 피해를 드러낼 수가 없는 이 세상 고양이들의 엄마와 아빠. 매일 또 그렇게 누군가가 매몰차게 내다버린 심장을 하나씩 주워 당신이 버린 심장을 대신 사용해주고 있을 것이다. 당신과는 다르게 뜨겁고도 치열한 열렬함으로….

♬ Maybe you were needed up there, but we're still unaware as why.

울 엄마는 Ed Sheeran의 〈Small Bump〉를
흥얼거리며 이 글을 쓰고 있다냥.
근데 난 뭔 소린지 몰라
한숨 늘어지게 자기로 했다냥.
예옹~ 예옹~!

그럼에도 상처는 남는다

사람들이 흔히 하는 말이 있다.

'시간이 지나면 괜찮아질 거야.'

나는 이 말을 가장 싫어한다. 시간은 결코 모든 것을 해결해주지 않는다. 오로지 스스로가 자신을 다잡는 일을 매 분 매 초 반복하며 시간을 견디며 이 악물고 무던히 해내야만 견딜 수 있는 것.

짜장이와 탱구를 맡은 지도 어언 2년이 흘렀다. 두 아이를 만난 것은 2013년 9월. 정확히 표현하자면 구조자가 입양을 보냈고 입양자가 나와의 친밀한 관계를 이용해 카페에 임보를 맡긴 채 이런저런 핑계로 유기한 케이스다. 여기에는 역시 사람의 가치관과 성격 그리고 관계에 대한 무개념에서 파생된 1, 2차 피해가 존재한다.

1차 피해는 당연히 아이들이다. 세상 모든 고양이들은 사람에 의해 묘생의 질이 결정된다. 고양이들이 지구상에서 유일하게 사람과의 공생을 자의적으로 선택한 동물임에도 인간은 그런 고양이들에게 기본적인 예우조차 전혀 없다.

짜장이는 4차선 도로에서 로드킬을 당한 채 방치된 어미묘의 사체를 위험천만한 차도 한가운데에서 하염없이 핥으며 이미 죽은 어미 곁을 떠나지 않던 두 달가량의 아가냥이었다. 다행히 어떤 고마운 분에게 구조되었다. 카페에 온 첫 일주일 동안 거의 먹지도 않고 웅크린 채 구슬프게 울기만 하였다.

비슷한 시기에 6개월을 길에서 생활했던 탱구는 5층 건물 옥상에서 건물 주인이 악의적으로 풀어놓은 개에게 공격당하고 추락하여 뒷다리가 부러진 상태로 구조된 아이다. 얼마나 굶주린 채 살았는지 사료를 한가득 부어주면 숨도 안 쉬고 토할 때까지 먹고, 토하고 나서도 먹기를 반복했다. 항상 먹을 것이 있다는 것을 알게 된 3일째 되던 날부터 드디어 적당량을 조절하여 먹기 시작했다.

이 두 아이를 가엾다며 입양한 J라는 친구는 내가 친동생보다 더 아끼고 애정했던 사이였다. 2차 피해를 입은 것은 바로 내가 그렇게도 아끼고 애정했던 그 동생에게 배신당하고 더 이상 찾아오지 않는 J에게 버려진 것을 알고 상처 입은 짜장이와 탱구 그리고 그 동생을 너무나도 따랐던 카페 아이들. 아이들의 깊은 상실

감이 주는 피해를 이 악물고 지켜봐야 했던, 그로 인해 마음이 넝마가 되어버린 나 자신이었다.

　J가 지낼 곳이 없다고 하여 나는 카페에서 지내게 해주었다. 여의치 않은 상황임에도 그리 했던 이유는 어려울 때일수록 서로 도와야 한다고 진심으로 생각했기 때문이다. 카페에게 지내게 된

J는 한두 달 후 살 집을 구했다. 곧 짜장이와 탱구를 데리고 갔지만, 두 아이는 간 지 세 시간 만에 파양되어 카페로 돌아오게 되었다. 구한 집이 반려동물 금지라고 했다.

카페에서 10분 거리에 살면서도 아이들을 보러 오지 않았던 J는 결국 그렇게 발길을 끊었고 탱구와 짜장이는 매일 문 앞에 앉아서 J를 기다렸다. 카페에 손님이 들어서면 아이들 모두 우르르 뛰어나갔고 J가 아니라는 것을 알고는 다시 있던 자리로 돌아가곤 했다. J를 가장 많이 따르던 먼지와 짜루는 이후 식음을 전폐했고 이유 없이 병이 짙어져 한 달 넘게 입원했으며 겨울이 다 지날 때까지도 컨디션이 회복되지 않았다.

당시 아이들의 상태가 어땠는지, 아이들이 받은 상처가 어땠는

지는 차마 전부 이야기할 수 없을 만큼 심각했다. 그러한 카페 아이들을 지켜봐야했던 내 마음이 어떠했는지 또한 표현할 길이 없다.

시간은 무던히도 흘렀고 아픈 아이들 케어와 카페 유지만으로도 정신없이 살고 있었다. 그러던 이듬해 어느 날 J에게 전화가 걸려왔고 카페에 와도 되겠냐고 물었다. 내키지 않았지만 그래도 아이들이 보고 싶어 하지 않을까 하는 마음에 그리라고 했다. J는 머뭇거리며 말을 꺼냈다.

"누나, 그땐 정말… 죄송했어요."

나는 고요히 그날들을 회상했다. 한참을 그렇게 있었다. 그리고

담담히 대답했다. 지금 하는 말들은 아무 소용이 없다고. 그 말이 효력을 발휘하게 되는 것은 오로지 상대가 너에게 애정이 있을 때뿐이라고. J는 이내 옷자락만 매만졌다.

아무 소용없는 말들이 카페에 산산이 흩어지던 그날, 그들이 간 뒤에도 나는 한참을 그 자리에 앉아 있었다. 뒷모습이 사라진 문 앞에 오도카니 앉아 있던 탱구와 짜장이는 "웨오오~"울더니 총총 나에게 달려온다. 탱구는 내 앞에 발라당 드러눕더니 애교를 부리고, 짜장이는 무릎에 올라앉더니 앞발을 내 얼굴로 쭉 뻗으며 나를 하염없이 올려다본다.

구석에서 지켜보던 먼지와 짜루는 내 옆으로 달려와 "고르릉, 고르릉" 곁을 지키며 잠이 든다. 그리고 나도 함께 잠이 들었다.

그래….
너희들이 괜찮으면
엄마도 괜찮아.

고양이는 사람이
따뜻한 가구라고 여긴다.
- 재클린 미처드 -

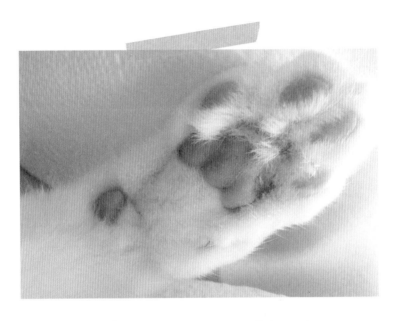

젤리는 집사들의 마음을 흔들고,
집사들은 예쁜 젤리를 찾아 헤맨다.

창문 너머엔 무엇이 있을까.
그래도 〈커피타는 고양이〉가
가장 안전하다는 것을 안다냥.
그래도 나가볼까 말까.
엄마가 기절할지도 몰라냥.

버려진 아이들

아무리 생각을 고쳐먹어 보아도 도저히 이해가 되지 않는다. 살아서 숨 쉬는 생명을 어찌 감히 쓰레기더미 속에 내다버릴 수가 있는지. 아무리 한때의 지비심이었다 치더라도 한 생명을 입양해 놓고 누군가에게 떠넘기듯 버려두고 뻔뻔하게 살아갈 수가 있는지. 어찌 눈도 못 뜬 꼬물이를 문 앞에 던져놓고 돌아설 수가 있고, 아무 죄도 없는 지나가던 길고양이를 구타하고 학대하거나 잔인하게 살해할 수 있는지.

도대체 어디에서부터 고장 난 것일까? 그러한 사람들의 상태를 가만히 들여다보면 여지없이 심각한 정신적인 문제들이 들끓고 있을 것이다.

내가 살아가는 동안 어느 시절을 함께하며 사랑했고 애정했고 소중했을 것이 분명한데도 그때 기억을 찾아볼 수 없는 그 잔인함은 어디에서 기인한 것일까. 한때였다 해도 분명히 소중했을 법한 대상에게 가하는 수많은 폭력들을 낱낱이 보아온 이후로 사람이 점점 더 소름끼치게 무서워졌다. 가장 연약한 동물에게조차 한 오라기 자비심도 없이, 생명을 존중하는 기본적인 개념도 없는 이러한 세상이라면 정말이지 생각만으로도 몸서리가 쳐진다.

〈커피타는 고양이〉는 바로 그런 차가운 외면과 잔인함 속에 학대당하거나 버려지고 길에서 구조된 아이들을 포함하여 현재 총 41마리가 지내고 있는 보금자리이자 쉼터이다.

오픈 전 청소 중이던 카페에 연락 없이 나타난 한 가족에게 버림받은 나비는 가족이 이민을 가게 되어 여기서 안 맡아주면 방법이 없다며 거의 반 협박조로 이어진 대화 끝에 중성화 수술비의 반 정도만 받고 맡은 아이이다.

이후 자신들의 집인 것마냥 카페에 들락거리며 나비를 보러오는 그 가족에게 반려동물에 대한 소중함이나 고양이에 대한 올바른 인식, 생명을 존중하는 개념은 전혀 찾아볼 수 없었다.

내가 오해하는 걸까 싶어 아무리 되짚어 보아도 반려동물을 대하는 생각이 다른 것은 공유할 수 없는 영역이었다. 나비는 전 가족이 자주 나타나자 점점 이상한 행동을 보이기 시작했고 안정적으로 카페에 적응하지 못하고 있었다.

그래서 고민을 거듭하다 앞으로 오시지 않으면 좋겠다고 냉정하게 말하자 "내가 내 돈 내고 왔는데 이 따위로 장사하면 안 되지!" 라고 소리를 버럭 지르며 카페를 부리나케 나가버렸다. 그래도 미안한 마음에 따라 내려가 이유를 설명하려 했지만 뒤도 돌아보지

않고 가버렸다. 그 후로
그들을 볼 수 없었다.

　나비는 가장 먼저 입양
을 보내고 싶은 아이였다.
많은 아이들이 있는 카페
보다 단란한 가정에서 오
붓하게 살아야 하는 아이
였기 때문이다. 지금도 내
방에 단독으로 데리고 가
면 발라당 드러누워 평소
카페에서 보여주는 모습
과 달리 매우 애교 많은
고양이로 돌변하곤 한다.
나비에게 필요한 환경을 제공하지 못하는 나에게 나비의 모습은
내내 켜켜이 남아 있다.
　구조되어 입양을 갔던 짜장, 탱구는 앞서 이야기했듯이 파양되
어 떠맡기듯 버림받았고 이후 어리광쟁이, 엄마쟁이가 되어 지금
도 나만 보면 하염없이 울면서 무릎을 내어달라고 보챈다. 짜장,

탱구에 이어 추운 겨울 동네에서 세상 떠나가라 고함을 지르듯 울던 로또는 그대로 두면 사람에게 해코지 당할 확률이 높았기 때문에 어쩔 수 없이 신 집사님이 구조해 카페로 데려왔다.

로또와 비슷한 시기에 카페로 온 미륵이는 고3 여학생이 구조했던 새끼고양이였다. 지하철역 부근에서 어떤 아저씨에게 빗자루로 맞고 있던 아이를 우연히 본 학생이 깜짝 놀라 이것저것 생각할 겨를도 없이 데려오게 된 것이다. 하지만 가족의 반대와 유학 준비 때문에 보호소와 쉼터 등 여기저기 찾아 헤매다 모두 거절당하고 절박한 심정으로 〈커피타는 고양이〉에 찾아왔던 것이다.

지금도 그 학생의 나이답지 않던 정중함과 조심스러움, 금전적인 책임을 질 수 없는 처지인데도 책임을 다 하겠다고 약속하던

진실함이 생각나곤 한다.

외부 고양이는 절대 받지 않으려 했다. 하지만 미륵이는 유일하게 신념을 깨뜨리고서 받아들인 케이스이다. 학생의 말과 행동 그 모든 것에서 느껴지던 개념 찬 생각과 올곧은 성품, 정직함 그리고 구조한 고양이를 위하는 절실함이 가득했기 때문이다.

그 학생은 계속 입양처를 구했으나 새끼고양이의 입양처는 끝내 나타나지 않았다. 시간이 날 때마다 찾아와 사료나 간식, 장난감 등 형편이 되는대로 사들고 오던 학생의 진심에 나는 마음이 짠해졌다. 결국 신 집사님과 의논 끝에 카페에서 맡기로 결정했다. 유학 가기 전까지 그 학생은 연락을 멈추지 않았다. '고양이를 구조해 달라, 구조한 고양이를 맡아 달라'는 메일과 전화를 하루에도 수십 통씩 받지만 그 학생 같은 진실함을 만날 순 없었다.

진격의 거묘, 라떼

쓰레기봉투 속 비닐봉지에 산 채로 버려졌던 일곱 마리 새끼고양이 중 유일하게 살아남은 마지막 한 아이, 진격의 거묘, 쓰레기봉투 구조묘인 라떼 이야기는 지금까지도 손님들에게 회자되고 있다. 카페의 재정난이 극에 달한 상태로 오랫동안 고착되었던 그 무렵이 육체적으로나 정신적으로 가장 힘들었을 때이다. 아무리 기를 써도 끝없이 추락하는 것과 매우 비슷한 느낌이었다.

2014년 여름, 비가 축축하게 내리던 어느 날 카페에서 멀지 않은 골목에서 믿을 수 없는 광경을 목격했다. 눈도 못 뜬 새끼고양이들이 쓰레기더미 속에 버려진 것이다. 100리터 종량제 봉투 속 쓰레기봉지들을 모두 꺼내어놓은 뒤 노란 비닐봉지 하나를 조심조심 들었다.

순간 심장이 약 1센티미터 아래로 급 하강했다. 파르르, 미미한 움직임으로 전해져오던 일곱 개의 작은 숨이 그 안에 존재해 있었다. 황급히 일곱 녀석을 하나하나 꺼내어 살펴보니 두 마리는

이미 별이 되어 있었다. 급히 구해온 천으로 꽁꽁 감싸 병원으로
한 달음에 달려갔던 그날의 광경은 아직도 눈앞에 낱낱이 펼쳐지
곤 한다.

　두 달 동안 밤을 새우며 다섯 꼬물이들의 인공 수유를 하면서
아이들을 살려보겠다고 미친 듯 기도하고 악을 썼지만 결국 네
마리는 별이 되었고 가장 작고 야했던 그러나 울음소리는 가장
우렁찼던 빽빽이, 라떼만 살아남았다.

　생명이라는 본질적인 느낌과 가장 닮아 있는, 손바닥보다 작던
꼬물이들을 한 마리 또 한 마리 그렇게 보내고 난 뒤 평생 처음으로
주저앉아 고통스럽게 울음을 토해냈다. 그 후 젖먹이 새끼고양이의

울음소리는 가장 아프게 심장을 가격하는 슬픈 노래가 되었다.

카페의 막둥이들

카페에는 새끼고양이 시절 막내로 들어왔다가 성묘가 된 아이들이 제법 있다. 순서대로 나열하자면 나비, 짜장, 미륵, 라떼, 루팡, 코난, 퐁당 이렇게 일곱 마리이다. 미륵이는 카페에 온 후 한 달이 채 안 되던 때 건강 문제로 내가 살던 집으로 옮겨야 했다. 온전히 카페에서만 지내온 막둥이들은 총 일곱 마리. 막둥이가 새로 들어오고 적응하는 동안 신기하게도 매번 그 전 막내가 새로운 아이를 따라다니면서 보호해주고 보듬어주고 카페 구석구석을 함께 다녔다.

탱구와 짜장이가 함께 카페에 오게 되자 나비는 짜장이를 따라다니며 챙겨주었다. 짜장이는 라떼가 상꼬물이 시절을 지나 새끼고양이가 되어 카페를 누비고 다니던 직후부터 특유의 "우~엉~" 하는 울음소리를 내며 라떼 뒤를 따라다녔다. 짜장이가 라떼를 보살피는 모습은 사뭇 아빠 같았다.

항상 따라다니며 위험해 보이면 여지없이 총총총 달려가 뒷목을 물고 안전한 바닥에 내려놓고 지켜보았다. 늘 함께 잠들고 라떼가 화장실에 갈 때에도 화장실 문 앞에 가만히 앉아 라떼를 기다려주곤 하였다. 지극정성, 카페 단골손님들은 그렇게 말했다. 그런 짜장이의 모습을 지켜보면서 문득 그런 생각이 들었다. 짜장이가 처음 카페에 왔던 시절, 그런 손길이 그리웠던 것은 아닐까 하고.

라떼 이후 한동안 막내가 들어오지 않는 나름의 평화(?)가 찾아왔다. 하지만 가을을 지나 추운 겨울이 오자 막내가 들어왔고 그 아이가 바로 루팡이었다. 사실 루팡이는 카페 모든 아이들이 지켜봐주는 예외적인 아이였다. 새끼고양이였을 때도 여타 고양이들과 달리 독립적이었다.

루팡이의 눈빛에는 언제나 덤덤하게 배어 있는 처연함이 묻어 나왔다. 그래서인지 루팡이는 카페의 막내고양이였을 때도 언제나 막내같지 않은 침착함을 두르고 있었다. 나는 의지를 불태우며 이번에야 말로 좋은 가족을 찾아주겠다며 루팡이의 입양 홍보를 시작했지만 며칠 후, 루팡이는 복막염으로 치료를 시작하게 되었다.

청천벽력 같았던 그날 밤. 불이 꺼진 카페 안에서 소리 없이 울었다. 그리고 루팡이의 입양 글을 모두 내렸다. 라떼는 루팡이를 보자마자 형 노릇을 하며 보듬어주고자 했지만 루팡이의 건강 문제를 느꼈던 것일까. 루팡이가 그저 편안히 지낼 수 있게 루팡이가 원하는 적절한 거리만을 유지해주었다. 그 모습을 본 나는 새삼 또 한 번 놀라웠다.

〈커피타는 고양이〉에서의 시간은 일말의 평화도, 바람 잘 날도, 쉴 틈도 없이 흘러갔다. 해가 바뀌고 짧은 봄을 지나 여름의 한복판에 이르러 젖먹이 꼬물이 한 마리가 박스에 담긴 채 카페 문 앞에 유기된다. 미 접종 고양이는 카페에서 다른 아이들과 함께 지낼 수 없었다. 결국 퐁당이라 이름이 붙은 이 아이를 격리 공간에 두고 케어하게 되었고 라떼 이후 오랜만에 인공 수유를 하면서 밤을 새야 했다.

퐁당이가 카페 문 앞에 버려진지 2주가 지나 코난이를 구조했다. 접종이 모두 끝난 둘은 신나게 카페를 뛰어다니고 있다. 이때부터 놀라운 일이 벌어졌다. 라떼는 코난이를 따라다니며 돌보기 시작했고 코난이보다 늦게 접종을 모두 마치고 퐁당이가 카페에 나오자 기다렸다는 듯 짜장이가 특유의 울음소리를 내면서 퐁당이를 지켜주기 시작한 것이다.

어떤 새벽에는 짜장, 라떼, 코난, 퐁당 이렇게 막내 네 마리가 함께 우다다 행진을 한다. 그러면 나는 한동안 참다가 결국 소리친다. 네 마리 이름을 한번에 부르기엔 너무 길다.

"이… 이놈들아! 이 막내 시키들아~~~!!!"

새끼고양이 때 들어와 성묘가 되어가는 막둥이들을 보고 있으면 '고양이가 사람보다 낫구나'라는 슬픈 생각이 들곤 한다. 작고 아무것도 모르는 시절에 느꼈던 것을 기억하고 스스로가 새끼 때 느꼈던 것을 새로 온 아이가 느끼시 않게 해주려는 따뜻한 마음. 자신보다 어린 고양이, 새로 들어오는 막내에게 어미 고양이 또는 보호자가 할 법한 행동과 눈빛으로 그 아이가 무섭거나 불안하지 않게, 떨지 않게 안내해주는 길잡이가 되어준다. 사람들의 관심을 받는 막내 자리를 서슴없이 내어주고도 시기하거나 질투하지도 않고 오히려 보살펴주는 배려심에 오늘도 많은 것을 배우곤 한다.

나는 블랑이라옹.
귀찮으니 날 그냥 내버려두옹.
고양이도 성격이 제각각이라
안아준다고 다 좋아하는 것은 아니라옹.

젤리 콩콩.
젤리 덕후.
젤리 만세.

나도 젤리냥이다냥.
젤리를 내어줄 준비가 되어 있다냥.
이 수줍음 많은 집사들아.

날아라 퐁당!
달려라 코난!

자, 드디어 최근 이야기이다. 바야흐로 2015년이 되었고 나도
카페도 아이들도 모두 틀림없이 나이를 한 살씩 더 먹게 되었다.
그 속에서 나는 간절히 기도했다.

'제발, 카페에 아이들이 더 늘지 않기를….'

아, 참으로 식상하게도 하늘은 무심했다. 그렇다. 올해도 어김
없이 버려지는 아이가 없기를 바라는 마음은 헛소리이자 욕심인
것을 아주 가끔씩 잊곤 한다. 6월 17일 저녁, 루팡이의 재진을 위
해 단골손님에게 카페를 잠시 맡긴 뒤 일상처럼 나섰다. 신발을
갈아 신고 현관문을 지나는데 못 보던 작은 택배 박스가 오른쪽
아래로 시야를 찌르듯 들어왔다.

그날은 음료 재료와 아이들 용품, 간식 등이 택배로 도착하여
문 앞 어귀에 한가득 빈 박스를 정리해놓은 날이었다. 나는 생각
했다.

'이렇게 작은 택배를 받았었나? 요즘 정신줄이 불량한가 보네.'

이동장을 멘 채 상자를 들어 택배 박스들 위로 던지려는 순간, 정신줄이 모락모락 아지랑이처럼 외출하기 시작했다.

"야옹."

다시 있던 곳에 박스를 내려놓고 계속 현실을 부정해봤다. '아니야. 아닐 거야. 설마 그럴 리가. 그럴 리 없어.' 하지만 여부가 있겠는가. 박스를 조심스레 열어보니 아니나 다를까 웬 젖먹이 새끼고양이가 눈도 못 뜨고 꼬물꼬물 움직이고 있었다. 길고 긴 한숨을 쉬고 이마를 짚으며 이동장을 조심히 내려놓았다. 결국 카페로 들어가 신 집사님을 소환했다.

"뭐?!"

외마디 외침과 함께 신 집사님은 스프링처럼 튕겨져 나왔고 카페에 와 있던 단골손님도 놀라서 뛰어나왔다. 활짝 열어본 박스에는 더러운 천과 목장갑이 깔려 있었고 눈도 못 뜬 새끼고양이 한 마리가 덩그러니 있었다.

웬 봉투가 있기에 그래도 죄책감이 들었나 미안하긴 했던 것인지 몇 자 적고 갔나보다 하여 낮은 한숨을 쉬며 봉투를 살폈다. 은행 봉투… 은행 봉투…? 은행 ATM기 옆에 비치되어 있는 봉투였다. 그리고 그 안에는 시퍼런 만 원짜리 지폐 다섯 장이 들어 있었다.

목을 타고 씁쓸함이 꾸역꾸역 올라오기 시작했다. 훨씬 괜찮았을 것이다. 그 안에 들어 있던 깃이 아이에 대한 사연이나 이렇게 두고 가게 되어 미안하다는 진심이 담긴 몇 자라도 남겨져 있었다면. 하지만 이렇게 갓 난 새끼고양이를 버리고 간 그 인간은 진심보다 대가를 넣어두고 스스로 위안하고 합리화하면서 죄책감을 청산했다고 착각하며 마음의 짐을 털어내는 길을 택했던 것이다.

차라리 돈을 넣지 않았으면 훨씬 나을 뻔했다. 그 돈을 발견하기 직전까지 그저 아이가 걱정되었을 뿐이다. 하지만 돈을 발견하자마자 끓어오르는 분노를 참지 못하고 봉투를 내던졌다.

사람은 눈앞에 실재하지 않더라도 느낄 수 있다. 상대가 내 눈앞에 보이지 않는다 하여도 남겨져 있는 모든 것이 그 사람이다. 그 사람의 많은 것을 설명해준다. 상자 위치, 안에 들어 있던 것들과 상태. 단 두 가지만으로도 인간의 사람됨을 단번에 알아차릴 수 있었다.

"… 병원… 가야지."

"어."

"하아…."

"집사님… 다녀오세요."

"에효. 이게 무슨 일이래요. 어떡해요."

루팡이와 함께 병원에 상자 채 들고 가니 병원 1층에서부터 다
들 묻는다. 그게 뭐냐고. 최 원장님은 반갑게 나를 맞이하다가 내
손에 들려 있는 상자를 보자마자 단번에 눈치 채셨다.

"오랜… 아니. 그건 또 뭔가요…?"

"꼬물이요."

"… 누가… 또… 버리고 갔나요."

"네… 보자마자 그대로 들고 왔네요."

"아, 정말 왜들 그러는 걸까요. … 일단 차트부터 만들죠. 이름
이… 없겠네요."

"… 퐁당."

"퐁당? 방금 지으신 거예요?"

"무늬가 퐁당~ 퐁당~ 하잖아요. 이젠 그냥 뭐… 이름이 막 술

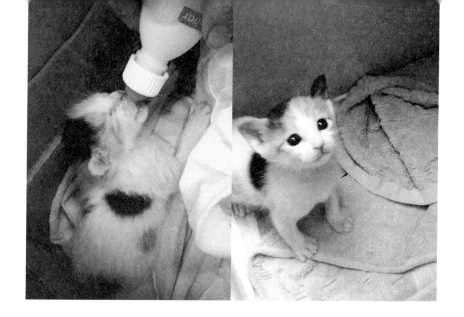

술 나오네요.”

“퐁당… 예쁘네요. 어감도 좋고. 힘내보죠. 또 애기 살려봐야죠.
윤 집사님 더 힘들어지시겠네요.”

“팔자려니, 해야죠 뭐. 아득하네요.”

퐁당이는 그렇게 기본 접종 시작 전까지 카페 주방 한 켠에 격
리되어 인공 수유를 시작했다. 수유하랴 아이들 돌보랴, 카페 오
픈하고 마감하랴. 정신줄이 들락 팔락 하는 동안에도 시간은 부지
런히 흘러 어느덧 2주가 지났다. 그날은 슈, 하루, 유로의 재진 날
이어서 신 집사님과 나누어 두 마리, 한 마리씩 어깨에 메고 병원

으로 향했다.

전날부터 아팠던 허리가 다시 아파오기 시작해 최대한 빠른 속도로 병원에 도착해 신 집사님에게 말을 하려는데 신 집사님이 안 보였다. 잠시 이동장을 내려놓고 찾아보니 그제야 먼발치에서 오고 있었다.

"저기, 새끼고양이 소리가 들리는데?"

"… 뭐!?"

"저기 삼각대 풀숲에서 새끼고양이 울음소리가 들려. 확실해. 내가 확인해봤어."

"아!!! 제발 좀. 안 돼애애애애애애!!!"

고양이를 구조하는 사람들

비가 오다 말다 갈팡질팡하던 그날은 월요일 저녁이었다. 세 마리의 진료를 맡기고 기다리는 동안 주식 캔과 간식 캔을 한 개씩 사들고 삼각대 풀숲 쪽으로 걸어갔다. 동물병원 바로 옆 8차선 대로변에 이렇게 노출될 수 있나 싶을 정도로 삼면이 차도인 곳이었다.

이리저리 숲을 뒤지고 찾아보던 중 사람들은 이상하다는 눈빛으로 우리를 흘겨보며 스쳐 지나갔다. 비는 다시 추적추적 내리기 시작했다. 일단 급한 대로 캔 하나를 까서 벌레가 꼬이지 않을 만해 보이는 위치에 놓아두었다. 그리고는 검사를 마친 아이들을 데리고 카페로 돌아갔다.

어미고양이가 있지는 않은지 아이 상태가 어떤지를 체크하다가 주변 건물 경비원 아저씨들에게 "어미가 계속 왔다 갔다 했는데 2주 전쯤엔가 다른 새끼들을 데리고 이동하는 것을 보았어요. 그 뒤 어미는 못 봤네요"라는 정보를 얻어 다음날 구조를 결심했다. 야밤에 유기동물을 구조하며 여러 곳을 돕는 친구를 소환해 방법을 찾기 시작했다.

그러다가 나와는 안면이 있고 내 친구와 친했던 언니에게 통덫을 빌려 포획하려 했지만 빗줄기는 굵어지고 새끼고양이는 나올 듯 나올 듯 모습을 감추기만 수없이 반복했다. 울음소리는 점점 힘이 빠지기 시작했고 마음은 급했지만 다른 계획이 필요했다. 모두 지쳐 있던 것도 문제였다.

다음날 밤, 20년 넘게 동물들을 구조하면서 사설 보호소 세 곳을 운영하고 계신, 파양 0퍼센트라는 무적 신화를 일궈 오신, 동물 구조계의 전설이자 구조자의 대모이신 파랑새 셸터 소장님께서 도와주겠다며 흔쾌히 나서주셨다. 네 명이 2박 3일 이리 뛰고 저리 뛰며 전전긍긍했던 새끼고양이는 그분께서 나타나시고 세 시간 만에 포획에 성공했다.

가까이에서 본 새끼고양이는 얼마나 굶으며 버텼는지 비쩍 말라 있었다. 눈언저리는 눈곱과 진물로 가득했다. 구조 후 모두가 환호성을 지르며 기뻐했고 오들오들 떨고 있는 새끼고양이를 모두들 어르고 달래며 다정하게 말을 건네었다.

"오구오구~ 구랬쪄요~ 춥고 배고팠지? 오구오구, 이젠 괜찮아. 병원 가서 검사 받고 따뜻한 데서 건강히 지내자~."

코난이는 여태까지 구조했던 고양이들과 다르게 처음으로 타인의 도움을 받아 이른바 본격적인 구조를 하게 된 유일한 아이이다. 처음으로 고양이 탐정에게 연락해보기도 했고 구조용 통 덫을 빌리기도 했으며 기약 없는 기다림 속에서 생각지도 않게 존경하던 분의 도움으로 구조하게 된 새끼고양이. 처음에는 밀고 당기며 포획이 너무 안 되어 밀당이라 불렸던 코난이는 아직도 나와 신 집사님을 제외한, 함께 구조했던 다른 세 사람에게 밀당이로 불리고 있다.

야심한 밤에 뜬금없이 전화해 "당장 와라!" 하던 나에게 묻지도 따지지도 않고 달려와 준 소중한 친구 '푸른창공'. 새벽 세 시에 통덫 좀 빌려달라며 떼를 썼던 우리에게 두말 않고 택시 타고 날아와 준 규연 언니. 생전 본 적도 없는 사람이 고양이를 구조한다고 헤

매고 있다는 얘기에 무거운 통덫들을 이고지고 기꺼이 달려와 주신 파랑새 소장님. 이렇게 고마운 분들의 도움으로 코난이는 무사히 구조되어 카페를 뛰어다니며 건강하게 지내고 있다. 아직도 소장님이 쩌렁쩌렁 하이톤으로 내뿜던 말이 귓가에 울린다.

"아이를 위하는 마음이 있으면, 할 수 있는 최선을 다하는 진심만 있으면, 도와줄 사람은 지천에 널렸어!"

오늘도 많은 구조자분들은 생명을 살리고 또 살려내어 하루 24시간이 모자를 만큼 마르고 닳도록 뛰고 있다. 입양을 끝내 가지 못하거나 아픈 아이들을 몇 마리에서 몇 백 마리까지 책임지며 하루하루 올곧게 살아가고 있다.

고양이를 구조한다는 것은 어쩌면 남은 묘생 전부일지도 모를 15~20년 세월을 함께하며 그 안에 일어나는 크고 작은 모든 것을 책임지겠다는

각오가 있어야 한다. 내 손으로 살린 생명을 따스한 가족에게 보내는 일도, 기어이 울음을 토해내고 가슴을 치며 떠나보내야 했던 아픈 아이의 이름을 심장 깊숙이 묻는 일도, 파양 당해 예전과 전혀 다른 성격이 되어버렸을 때 아이의 전부를 감내하며 그렇게 되어버린 이유를 찾아내고 끝내 상처를 아물게 하는 일도 고양이의 모든 것을 올곧이 책임질 수 있을 강인한 심장과 굳은 의지를 필요로 한다. 학대당하고 버려지는 아이들이 없는, 그래서 더 이상 구조자가 필요 없는 그날을 하염없이 꿈꾸게 된다.

어무낫.
코난이와 퐁당이가
루~루~루~!
라~라~라~!

오리지날 요가 자세.

요가 파이야~!

내가 이렇게나

유연하다냥.

아무도 날

따라올 수 없다냥.

눈을 뜬다고 세상이 다 내 것이 될까용? 아니라고용.
이렇게 눈을 감아도 내 것이라웅.

집사가 쓰담쓰담 해주니 고롱고롱 답한다옹.
무릉도원이 따로 없넹. 이것이 바로 내 세상이라옹.

진심은 반드시 닿는다

　2015년 가을 어느 날 42마리의 쉼터인 〈커피타는 고양이〉는 십시일반 모인 신심이 새겨져, 많은 단골손님들의 사랑과 애정으로 무너지지 않고 여기까지 올 수 있게 되었다. 더불어 내가 운영하고 있으나 한 톨도 나의 것이 아닌 '모두의 쉼터'이다. 이 공간에는 쓰레기봉투에서 구조해 간신히 살려낸 라떼의 성장을 지금까지 지켜보며 함께 울고, 웃고, 힘들고, 기뻐했던 수만 개의 눈물이 서려 있다.

　꼬물꼬물 거리던 라떼를 서로 돌아가면서 돌봐주고, 몇 달간 잠 못 잤던 나를 위해 돌아가면서 카페를 지켜주고, 말 한마디 없이 창고 문을 열어 재고를 확인하여 어느 샌가 사료를 배달시키고, 매번 밥을 못 챙겨 먹던 나를 위한 먹을거리와 간식이 어떤 날에는 여럿이 함께 먹어도 남을 만큼 쌓이고 또 쌓이던 날도 있었다.

　화장이 무엇인지 가물거릴 정도로 스스로를 돌보지 못했던 그 당시 나의 모습은 실로 처참과 초라함 그 자체였다. 동네 슈퍼에 잠시 가더라도 머리끝에서 발끝까지 풀 메이크업에 스스로 마음에 들 때까지 완벽하게 단장을 하고서야 현관문을 나섰던 내가 치장 자체를 포기했다. 아이들을 들고 나르려면 신발장에 가득했던 하이힐은 쓸데없었기에 예쁜 신발은 신지 않게 되었다. 한때 디자인 팀장으로 일하면서 패션을 향한 높아진 눈과 욕심이 그득했던 옷장은 아이들에게 써야 할 돈도 모자를 판이었으므로 가장 먼저 버려야 했다. 지금은 옷장도 없지만 선물 받거나 편하게 입기 위해 샀던 1천~5천 원짜리 옷들을 제외하고는 카페를 시작하기 전 그대로 시간이 정지되어 있다.

며칠 밤을 새는 것이 일상이 되어버려 머리를 감지 못한 채 이를 닦고 고양이 세수만 간신히 하고서 카페에 우두커니 서 있을 때가 부지기수였다. 나를 위해 무엇인가를 살 때 그것이 5천 원 이상이면 아이들 약값으로 자동 환산되어 머릿속에서 계속 맴돌았다. 촉망받던 나의 직업과 인정받던 나의 재능과 치열하게 미친 듯이 돌진했던 꿈도, 뜨거운 사랑도, 일렁이던 단내 가득했던 설렘도 모두 포기했다.

내 삶은 모두 냉정하게 잘라낼 수밖에 없었다. 그래야 했고, 그래 왔고, 그럴 것이지만 때때로 켜켜이 남아 있는 것들에 대한 회한이 몰려들 때가 있기도 했다. 전부 다 포기하고 보니 '나'는 어디에도 없었다. 그렇게 악독하게 처절하고도 치열하게 버티면서 지키려 했던 것은 오직 아이들이었다.

내가 초라한 게 무슨 대수였겠는가. 아이들만 눈부시다면 그것으로 충분히 신명나고도 남지 않겠는가. 누가 시켜서 한 것도, 등 떠밀려 시작한 것도 아닌 바로 내가 선택한 삶이다. 그렇게 앞만 보면서 수천 번 이를 악물고 버티다 보니 나는 주위를 보지 못했다.

라떼를 구조하고 전에 없던 피폐한 생활을 하다가 문득 얼굴도 모르는 사람들로부터 응원하고 있다는 진심 가득한 전화를 수없이 받고 있었다. 그때부터 주변이 보이기 시작했다. 나보다 더 나를 챙겨주며 하루가 멀다 하고 달려와 주던 단골손님이라는 명칭 아래에 숨겨져 있던 나의 가족들, 나의 벗들, 나의 사랑스러운 사람들. 정신을 차리고 주변을 둘러보니 나는 많은 사람들에게 둘러싸여 있었다. 내내 곁을 지켜주었던 사람들을 단지 보지 못했던

것이다.

아찔했던 라떼의 가출 사건 당시 함께 신천역 골목들을 이 잡듯 뒤지고 다녀준 그 아름다운 마음들을 아직도 낱낱이 기억하고 있다. 라떼를 찾고서 환호성을 지르며 부둥켜안고 울었던 그때가 아직도 귓가에 들려온다. 세상과 나를 단절시켰다고 생각했던 이 카페는 오히려 나와 세상을 연결해주는 유일한 세계가 되어 있었다.

영업을 하는 '카페'라는 이유만으로 거대한 오해 속에 수많은 질책과 비난을 받을 때도 많다. 누군가에게 인정받고 누군가에게 알려지고 누군가에게 보이기 위해 이 카페를 운영했던 적은 단 한 번도 없었다. 많은 보호소와 쉼터들이 안고 있는 공통된 재정 문제를 나 역시 고심했었다. 그래서 '자생할 수 있는 쉼터'로 만들고 싶은 까닭에 카페를 인수하기로 결심했던 것이다.

그만하면 되지 않았나. 그 정도로 긁어모았으면 됐지. 애들 사연 팔이 듣기 싫으니 그만 좀 해라. 이보다 더한 말들도 들었다. 하지만 사연이라도 팔 수 있다면 기필코 팔고야 말 테다(느낌표 100개! 이것은 고함이다!!).

병원비를 낼 돈도, 아이들 사료 값도 없어서. 더 이상 포기할 것이 한 오라기도 남지 않아서. 실제로 공중 화장실에 붙어 있던 '장기 삽니다' 광고 스티커에 적힌 번호들을 고르고 골라(왜인지 모르

겠지만 최대한 광고 스티커 디자인이 괜찮아 보이는 곳들로) **전화를 걸었**던 적이 있었다. 여섯 군데에 전화를 했지만 상담 결과 여섯 군데 전부 내 장기는 쓸모가 없단다. 그날 정말 길바닥에서 미친 사람처럼 깔깔대며 웃어재꼈다.

그러하다! 카페 아이들만 건사할 수 있다면 난 단 1초도 망설임 없이 내가 가진 전부를 기꺼이 내어줄 것이다.

버텨온 시간의 곱절에 곱절의 농도로 지금까지 버티면서 딱 한 가지 자신 있는 것이 있다. 이 책을 읽는 지금 이 순간까지 〈커피 타는 고양이〉 카페의 존재 의미가 의심스럽다면, 풀리지 않는 오해가 있다면 단 하루만 시간을 내어 카페에 왕림해주시기를 깊이 머리 숙여 아뢰어본다.

나는 자신이 있다. 그 오해를 풀 자신이.

그리고 나는 굳게 믿고 있다.

초라한 나의 모습 뒤안길에 늘 함께 존재하는 '진심'이 반드시 당신에게 가 닿을 것이라고.

진심은 반드시 닿는다.

더 이상 다가오지 말고 그대로 멈추어다옹.

졸린데 움직이는 것만 보면

본능적으로 달려가고 싶다니까냥.

귀찮다냥.

나의 본능을 깨우지 말라냥.

엄마든, 집사든,

누구든 내게도 간식 좀 달라냥.

아파도 간식 잘 먹을 수 있는 세상을 꿈꾼다냥.

엄마도 나랑 똑같이 생각하겠지냥.

엄마, 사랑한다냥.

간식 주변 모두 사랑할 수 있다냥.

그만두기 위해 운영하는 카페

카페를 운영하면서 반드시 받는 질문이 있다.

"도대체 왜 카페를 하시는 기예요? 이렇게 힘든데."

그러면 한참 부연 설명을 들려준 뒤 마지막에 대답한다.

"카페를 그만두기 위해서 카페를 합니다."

사람들은 고양이 카페에 대한 진실을 얼마나 알고 있을까. 고양이 카페에 살고 있는 고양이들은 거의 대부분 품종묘이다. 그 아이들은 숍에서 사왔거나(나는 이 표현을 굉장히 싫어한다. 숍에는 어떻게 아이들이 오는지 굳이 설명하지 않으려 한다. 말로 하기도 싫은데 글로 쓰면 더 슬플 것이기에) 가정에서 분양 받아 데려왔거나.

애초에 고양이 카페의 존재 자체가 슬픈 일이다. 생명을 귀하게 여기고 고양이들을 제대로 케어한다면 고양이 카페는 엄청난 적자에 시달리다 빚만 떠안고 망할 것이다.

어떤 이유로든 카페가 영업을 종료하게 되면 무슨 일이 벌어지는가. 많던 적던 카페의 고양이들은 당장 갈 곳이 없어진다. 품종묘라 하여도 몇 개월 몇 년 동안 입양처가 구해지지 않는 것이 태반인데 하루아침에 그 많은 고양이들을 어찌한다는 말인가.

적극적으로 처분하거나 소극적으로 외면하거나…. 전자든 후자든 고양이들이 어떻게 될지는 여러분 상상에 맡기도록 하겠다. 나는 상상만 해도 그 상황이 끔찍하다.

'더 이상 버려지는 고양이들이 없어서 카페 문을 닫는 것.' 이것이 진정 내가 바라는 바다. 평생 케어가 필요하거나 아픈 20마리 정도를 제외한 나머지 아이들이 따뜻하고 애정이 넘치는 가정으로 입양을 가게 되고 더 이상 묘구수가 늘지 않는다면 이 카페를 그만두려 한다. 그만두고 나면 호젓한 어느 마을에 내려가 남은 아이들과 함께 도란도란 삶을 보내면서 평화롭게 늙어가고 싶다.

그리고 마지막의 마지막에는 내 뒤에 남겨지는 아이들이 단 한 마리도 없게 되는 것이 현재 내가 꿈꾸는 미래이다. 생각해보니 또다시 길고 긴 한숨이 늘어진다. 아득하고도 한참은 먼 이야기겠지.

최대한 많은 아이들이 평생 가족을 찾게 되고, 그 자리에 갈 곳 없는 또 다른 아이가 들어와 한 마리, 또 한 마리 편히 쉬다 가는 것이 나의 진심 어린 소망이다. 그러한 순환이 계속되려면 아직 너무 많은 것이 부족한 현실이 안타깝기만 하다. (아아, 로또에 당첨되어야 한다)

안녕 헤이즐, 모든 잘못은 우리별에 있어

풍당이와 코난이의 냥다방 입성 이후 개인적으로 입양한 아이가 있다. 울산보호소(울산유기동물보호센터)에 직접 찾아가 입양 계약서를 작성하고 데려온, 한쪽 눈이 없는 그러나 한쪽 눈만으로도 충분히 반짝거리는 눈부신 고양이이다. 울산보호소에 의해 구조된 푸름이(헤이즐의 보호센터 시절 이름)는 한쪽 눈이 돌출되어 심한 염증으로 뒤덮여 있던 처참한 상태로 발견되었다.

눈의 상처는 길고양이들에 의해 생겼을 거라 추측했다. 유기묘라 추정하는 이유는 하얀 바탕에 회색의 길고 부드러운 털. 길에서 살기에는 전혀 어울리지 않는, 누가 보아도 눈에 확 띄는 출중한 외모. 사람을 잘 따르는 조용한 성격까지.

중성화가 안 되어 있던 헤이즐은 발정이 오면 무시무시하게 울어댔다. 40마리가 넘는 아이들이 지내는 카페에서는 울음소리가

크게 문제될 것 없지만 일반적인 가정이라면 버려질 이유로 충분하기에 거의 확신했다.

헤이즐은 울산보호소 봉사자 모임인 〈모퉁이 봉사대〉의 고마운 분들 덕분에 근처 동물병원에서 안구 적출 수술을 받았고 이후한 임보자가 나타나 2주간 가정에서 약을 먹으며 지낼 수 있었다. 하지만 2주 뒤 다시 보호소로 돌아가게 되었다. 헤이즐은 보호소에서 두 달 넘게 지내고 있었다. 그 이야기를 블로그를 통하여 지켜보았던 나는 '저렇게 예쁜 아이인데 왜 아무도 데려가지 않는 거지?'라고 반문하다가 벼락 맞은 것처럼 8월 어느 날. 갑자기 전화를 걸어 입양 인터뷰를 했고, 8월 20일 왕복 16시간을 울산보호소까지 달려가서 데려왔다.

지금까지도 울산보호소 소장님과는 자주 연락을 주고받고 있다. 그날 헤이즐을 데려 가면서 못내 마음이 절절하여 책임비에 사료에 물품에 장난감, 간식, 소독제 등 나눌 수 있는 모든 것들을 바리바리 트렁크에 싣고 갔다.

보호소 어귀부터 열심히 짖으며 꼬리를 흔들던 많은 대형견들. 부부인 두 분 소장님이 어렵게 꾸려왔을 살림들이 눈에 아프게 파고 들어왔다. 이야기를 나누다 보니 여자 소장님이 나와 동갑이었다. 두런두런 이야기를 나누면서 보호소 고양이들이 지내고 있

는 묘사장으로 올라가는 길에는 어김없이 버려진 많은 대형견들
이 울고 있었다.

　200마리가 훨씬 넘는 아이들을 돌본다는 것은 어떠한 삶일까.
생각을 굳이 하지 않아도 아찔했다. 나보다 더한 삶이 그곳에 생
생하게 증명되고 있었다.

　그렇게 다녀온 뒤 거의 일주일 동안 몸살을 앓으면서 카페를 운
영했다. 보호소에 비해 고작 40여 마리를 돌보고 있는데도 나 자
신이 가장 힘들다고 생각하던 한심함에 치가 떨렸다. 열이 오르내
리기를 반복했다. 몸살이 다 나을 즈음 내가 할 수 있는 일을 하기
시작했다. 울산보호소에 매달 한두 번은 꼭 이것저것 챙겨서 보
내게 되었다. 누군가 대신 해주고 있는 보호소의 삶. 거대한 희생.
오만했던 나 자신에 대한 반성과 그곳 아이들 중 헤이즐밖에 데
려올 수 없었던 죄책감을 꾹꾹 눌러 애써 외면하면서.

　헤이즐은 나의 소망을 처음으로 이루게 된 아이이다. 한 마리라
도 더 데려올 수 있는 능동적인 쉼터이자 카페이길 바래왔던 내
오랜 염원이 실현되었던 또 다른 시작이었던 것이다.

안녕 푸름아,
안녕 헤이즐!

〈커피타는 고양이〉를
지켜주시는 고마운 분들에게

솔직한 이야기로 책을 출판할 것이라 전혀 상상도 못 했습니다.
그런데 정말 현실에서 이 글을 쓰고 있습니다. 쓰고 있는 지금 이
순간도 전혀 실감이 나질 않습니다.

요즘 같은 각박한 세상에서 사는 것이 쉽지 않지만 카페를 운영
하며 전혀 함께 있을 것 같지 않은 감정들을 동시에 느끼고 있습
니다. 사실 저는 '고진감래'라는 말을 믿지 않았습니다. 어차피 이
'생'은 불공평하며 많은 어려운 날들을 겪고 보고 듣고 살아왔으
니까요.

하지만 믿을 수 없는 일들이 일어나고 또 일어났습니다. 기적이
라 하기에는 너무나 와 닿는 현실에서 일어난 일이라 아직도 적

당한 단어를 찾을 수가 없습니다. 묵묵히 아이들과 평화로운 삶을 그리며 버텨왔던 수많은 하루가 모여 작은 세월이 되었다는 사실에 새삼 감회가 다르게 다가옵니다.

반면, 개인적인 이득과 돈벌이를 목적으로 시작한 일이 아니었음에도 사업자등록이 되어 있다는 이유로 수없이 많은 오해와 비난을 받아온 〈커피타는 고양이〉이기도 합니다. 한 분, 한 분 손을 붙잡고 대화를 나누어 오해를 풀고 싶은 마음이 솟구치지만 제게는 방법이 없기도 했습니다.

그러던 차에 책을 출판할 기회가 왔습니다. 제 글 주변으로 얼마나 많은 분들의 오해를 풀 수 있을지는 모르겠습니다. 다만 그저 제 진심이 되도록 많은 분들의 마음에 가 닿기를 염원하면서 한 글자 한 문장씩 써내려갔습니다.

터벅터벅 혼자서 시작한 일임에도 결국은 많은 분들의 진정과 진심이 그득한 도움을 받으면서 여기까지 해오게 되었습니다. 그

분들의 진심어린 도움이 아니었다면 아마도 시골 어딘가의 한적한 비닐하우스에서 아이들과 지냈을 겁니다. 그보다 더한 극한의 선택으로 내몰렸을 수도 있었을 것입니다. 처음처럼 혼자였다면 결코 지금까지 버틸 수 없었을 겁니다. 그래서 고맙고도 고마운 분들께 제 남루한 마음이나마 훨훨 펄럭이며 전하려 합니다.

신 집사님. 미안하고 고맙고, 죄송하고 감사합니다. 험한 길을 함께 걸어가 주셔서…. 너무 많은 것을 희생하시게 하여서…. 혼자라면 못했을 겁니다. 당신이 도와주신 은혜, 이 생의 끝까지 가져가겠습니다.

노 집사님. 항상 우리 옆에서 생기와 바람을 일으켜주어 고맙고, 돌려주지 못한 도움에 대한 부채를 아직도 전하지 못해 미안하고 미안해. 가장 힘들었던 시작의 때에 우리 곁에 있었음이 얼마나 다행인지. 오빠 같고 가족 같고 친구 같은 당신. 미안하고 고맙고 애정한다. 형의 인생이 쫙쫙 펴지기를. 사랑도 힘내길!

소정. 서로 다른 삶을 살아왔음에도 카페로 만나 여기까지 오게 된 인연에 감사합니다. 팍팍한 시간 속에서 유일한 나의 사이다 같은 당신. 곁에서 지켜보고 함께 울고 함께 웃고. 나와 카페를 염려하며 늘 곁을 내어주는 그 마음에 깊이 깊이 감사하고 애정해. 처음부터 지금까지 자긴 나에게 늘 오아시스란다.

아람. 태어났던 곳이었으나 살아왔던 곳이 아닌, 고국이면서 타국인 한국에서 너를 힘들게 하는 일들만 일어난 것에 내 온 마음으로 슬픔을, 그러나 응원을 보낸다. 네가 힘들고 지칠 때 정말 무너지고 싶을 만큼 절망적일 때 그런 혼자이면 안 되는 날, 언제든지 카페로 나에게로 와주길 부탁할게. 민폐라는 생각을 버리고 훌훌 와주기를. 카페도 나도 늘 열려 있고 언제나 그랬듯이 항상 너를 기다리고 있다는 사실을 부디 잊지 말아주기를 바래. 애정한다. 더 이상 힘들지 않기를. 덜 아프기를.

승민. 항상 변함없는 마음과 태도 그리고 한결같은 예우. 어쩌면 그렇게도 노력하는 사람인고. 점점 아름다워지는 모습에 나까지 설레는 요즈음 너무 바쁘고 지친 모습에 마음이 쓰이네. 조금 덜 바쁘고 조금 더 쉴 수 있기를. 언제나 응원해주고 달려와 주었던 수많은 도움에 늘 고맙다는 말이 인색했어. 너무 고마워서. 과거와 현재를 지켜주어 고맙다.

정은. 내가 참 많이도 구박했건만 늘 씩씩하게 웃으면서 낭랑한 목소리로 와주어서 고맙다. 항상 까칠하게 굴게 되는 나의 태도와 말들 속에 숨어 있는 애정을 발견해주기를. 그 전에 내가 좀 더 조심하도록 하마. 하지만 어쩌면 그렇게도 친동생 같누. 자꾸 짓궂게 굴게 되는 못된 언니라 미안하다. 고맙다. 이번에는 꼭 원하는 학교에 갈 수 있기를 기도할게. 마지막까지 힘내자.

수진. 꽃 같은 마음과 얼굴을 가진 너의 사랑이 되도록 가까운 때에 빛날 수 있기를. 카페가 어려울 때 내가 지칠 때 소리 없이 날아와서 두런두런 너의 이야기들로 나의 마음을 다독여주는 것에 감사해. 늘 도움만 받는 것이 못내 미안한 나의 마음까지도 다 이해해주는 그 성숙함에 미안하고 고맙다. 나는 너의 인생을 응원하고 있어. 항상, 언제나, 늘.

혀니 님. 얼굴 본 지가 참 오래 되었네요. 힘들고 어려울 때 곁에서 함께하지 못함이, 내가 도울 수 없는 처지인 것이 너무나 슬픕니다. 하지만 알아주시기를. 언제나 응원하고 매일 기도하고 있으며 늘 마음에 두고 있다는 것을. 미안합니다. 고맙습니다. 애정합니다. 한결같은 애정에 깊이 감사합니다. 조만간 볼 수 있기를. 그럴 수 있을 만큼 현실이 훨씬 좋아지기를.

루키 & oibam 자매. 카페에 처음 왔던 그날 이후로 눈이 오나 바람이 부나, 비가 오나 찾아와주었던 매일을 생각합니다. 카페에서 일어나는 모든 일들을 자신의 일보다 더 생각해주고, 모든 휴일마다 찾아와준 정성을 알고 있습니다. 카페가 이사할 때에도 늘 찾아와 양손 가득 먹을거리를 챙겨오는 친자매 같은 사람. 항상 카페 아이들을 진심으로 아끼고 사랑해주어서 고맙습니다. 앞으로도 오랜 시간을 함께할 수 있기를 소망합니다.

S.H 님. 언제 어느 때에 만나도 나의 친구가 되어주어 고맙습니다. 당신이 준 도움들은 꼭, 반드시 보은하겠습니다. 아무런 조건도 편견도 없이 나를 봐주고 카페 아이들을 나보다 더 사랑하고 애정해주는 당신의 그 마음은 늘 나를 울립니다. 만나게 되어 영광입니다. 늘 소리 없이 지켜봐주어서 응원해주어서 고맙고 또 돌려드릴 게 없어서 미안합니다. 하지만 애정합니다. 나 역시 당신이 그랬던 것처럼 힘들 때 안겨 펑펑 울 수 있는 따뜻한 품을 가진 사람이 되겠습니다.

김현주 님. 카페 대소사에 늘 달려와 주시고 함께 고민하고 내 일보다 더 염려하며 걱정해주시는 그 변치 않는 깊은 마음에 늘 많은 것을 배우게 됩니다. 모자란 것이 많은 저에게 항상 세상을 알려주시고 정말 필요한 충고를 해주심에 마음 깊이 감사하고 있습니다. 꽃보다 아름다운 진심어린 염려가 담긴 화과자를 저는 잊지 못할 것 같습니다. 제가 좋아하는 것을 알아보시고 직접 걸음 하셔서 골라주시고 건네주셨을 그 마음이 그득한 화과자를 먹으면서 혼자 또 울었더랬습니다. 고맙습니다. 부족한 저를 늘 굳게 믿어주셔서.

　　현수 씨. (왠지 한 대 툭 치면서 이야기를 시작해야 할 것만 같은데…)
나와 전혀 안 친한데 친하고, 나를 전혀 안 믿는데 신뢰하고, 항상
나를 구박하는데 챙겨주고, 짜증내는데 걱정해주고, 좀 쉬세요,
해놓고 이것저것 일을 선사해주고, 아이들 이름도 잘 기억 못 하
는데 엄청 예뻐하고, 안 올 것처럼 무뚝뚝한데 자주 오는, 하지만
그런 자네여도 나는 기억하고 있답니다. 카페가 휘청거리며 무너
지기 일보 직전의 날에 가장 늦게 나가면서 기어들어가는 목소리
로 낮게 남긴 말 "카페. 계속해주세요. 꼭이요. 꼭." 왜일까. 그 말
한마디가 그렇게나 힘이 되었던 것은. 이 사람의 츤데레는 가끔씩
보이는 허점이 진국이여. 늘 티격 대는 형제 같은 사람. 그래서 사
실은 가식 없이 대할 수 있는 편안한 사람. 고맙습니다. 감사합니
다. 그대로. 튼튼하게 커주세요!

　　은비 님. 현수 씨의 연인이신 은비 님. (늘 고생이… 많으십니다)
소리 소문도 없이 고요하게 그리고 쭉 지금까지도 한결같은 마음

과 응원에 늘 감사하고 있습니다. 잘 모르시지요? 제가 왜 그렇게 은비 님~ 은비 님 하는지. 은비 님이라서 그래요. 은비 님은 왠지 모르게 그냥 좋습니다. 늘 제 글을 기다려주시고 함께 울고 웃어 주셔서 고맙습니다. 우리 좀 더 자주 볼 수 있기를.

규연언니 님. 불현듯 나타나 자매처럼 동무해주고, 때로는 기대어주고 조금이라도 더 나누어 주려는 그 마음에 많은 걸 깨 닫게 되었어. 갑자기 만나게 되어 여기가지 왔지만 언제나 언니의 삶이 평안하기를. 그래서 언니가 사랑하는 아이들이 모두 다 건강 하기를 늘 기도할게. 조금 더 몸 챙기고, 조금 더 쉴 수 있기를. 언 니에게 힘든 날이 이제 다 끝난 것이기를 기원해. 고마워. 언니.

보배할매마마. 같은 세상에 함께 살아가고 있음에 감사합니 다. 드디어 만날 수 있게 된 묵묵한 인연에 고맙습니다. 고행이었 을 이 길을 먼저 걸어가 주시고 지표가 되어주시고 많은 가르침 을 몸소 실천해주심에 한없는 감사와 존경을 전합니다. 할매마마 의 삶 속에 늘 길이 있고 늘 행복이 가득하기를 기원하고 있습니다. 그리고 건강을. 많은 아이들을 지켜주실 분의 찬란한 건강을.

혜란. 이름만 불러도 나에게 위로가 되는 친구. 먼발치에 있어도 언제나 너를 알고 있고, 너의 삶이 기어이 행복해지기를 기원하고 있어. 무던한 시간 동안 끝없이 기도해주고 응원해주는 너의 우정에 깊은 감사와 애정을 전한다. 서글픈 현실의 건너편 어딘가에는 반드시 행복이 존재할 거라고 믿고 싶다. 힘을 내자. 같은 세월을 함께 견뎌보자. 그래서 두 행복을 반드시 실감하는 날이 한때에 오기를 믿어보자. 힘들어도 힘을 내고, 견딜 수 없어도 견디면서. 지금까지 그래 왔던 것처럼. 그렇게.

푸른창공. 각자의 길을 걷다가 한 지점에서 이제야 만나게 된 소중한 친구. 내가 말하지 않아도 알고 듣지 않아도 느끼며 울지 않아도 보듬어주는, 나와 같은 세월 속에서 나보다 많은 노력해온 애틋하고 마음 아픈 나의 벗. 같은 세월을 살아오고 같은 시간 속에 존재하면서 같은 일을 하고 있다는 것이 이렇게나 큰 위로이며 위안이고 감동일 줄 나는 몰랐다. 꺼내기에도 지친 많은 말들을 대신 해주는 너에게 늘 고맙고, 내가 돕지 못해 더 미안해. 네가 나의 삶을 걱정해주듯 나도 그러함을. 네가 나에게 위로가 되듯 나도 그러함을 알아주기를. 그리고 되도록 자주 나를 이용해주기를. 쓸모 있는 사람이 되마. 너에게도.

편집장님. 늘 카페를 가족의 일처럼 챙겨주시고 자신의 이익보다 카페를 위해 주심에 깊이 감사드리고 있습니다. 갚을 수 없을 큰 신뢰와 마음을 받았습니다. 그저 믿어주시고 저의 불찰과 실수들을 다 해결해주셔서 또한 미안하고 죄송한 마음보다 더한 고마움이 있습니다. 편집장님을 만나게 되어 정말 다행입니다. 편집장님 덕분에 더 노력하고 더 힘을 낼 수 있었습니다. 미워도 고와도 변함없이 믿고 의지해주셔서 너무나 고맙습니다. 감사합니다. 저는 너무 복이 많은 사람입니다. 편집장님을 만나 그 인연으로 이렇게 많은 진심을 받았으니까요. 두 손을 꼭 잡아주신 그날을 잊지 않겠습니다. 그날의 그 마음의 울림을.

수천 명의 말없는 천사님들. 〈커피타는 고양이〉가 쓰러져갈 때 말없이 일으켜주시고 말없이 잡아주며 새로운 시작을 이루어주셨던, 그 하염없는 침묵의 애정과 진심 그득한 마음을 지금도 생생하게 기억하고 있습니다. 얼굴도 모르는 타인의 일을 그다지도 믿고 신뢰하며 처음부터 지금까지 변함없이 응원해주시는 다이아몬드보다 더한 단단함을 저는 심장에 새기고 있습니다. 10년이 흘러도 처음 이 카페를 시작했던 그때 그 순간의 절절했던 마음과 의지를 잊지 않겠습니다. 평생을 다 하여도 갚지 못할 진심과 마음들을 제 삶을 하나도 남김없이 쏟아 부은 〈커피타는 고양이〉의 묵묵한 미래로 반드시 보은하겠습니다. 고맙습니다. 늘 응원해주셔서 감사합니다. 늘 믿어 의심치 않아주셔서 제 온 마음과 제 온 진정을 다하겠습니다. 애정합니다. 여러분의 인생이 그 아름다운 심장만큼이나 찬란하기를 간절히 기원합니다.

명혜보살 님. 나의 어머니. 늘 미안하고 고마워요. 그리고 사랑하옵니다. 나의 어머니로 존재해주심에 깊은 안도와 감사를 표합니다. 언젠가는 보살님의 뒤안길에 서서 버팀목이 되어줄 수 있는 그런 딸이 될게요. 사모합니다. 그리고 우리 삶을 지탱해주신 것에 많은 세월 동안에도 전하지 못했던 존경을 이제야 전합니다.

도치. 애증하는 나의 남동생. 항상 나보다 더 어른스러울 수밖에 없게 만들어 미안하다. 그리고 결국 또 이러한 일을 하고 있음으로 어머니에게도 너에게도 민폐만 되어 미안하다. 하지만 지켜봐주라. 터지고 깨져도 나는 이 삶을 정직하게 살고 있으니까.

아버지. 다만 건강하시기를. 지금의 삶이 행복하시기만을 바라고 있습니다. 당신의 침묵이 희소식이기를 바라며 당신의 삶 건너편에 서서 언제나 당신의 삶을 응원하고 있습니다.

혜국스님. 나의 영원한 스승님. 나의 영원한 큰 스님. 나의 영원한 아버지. 강령하시고 무탈하게 삶 속에 계신지요. 혜안으로 주셨던 말없는 편지는 잘 받았습니다. 저의 답에 일말의 서운함이라도 일었기를 바라는 못난 딸이라 송구합니다. 그때에도 지금도 저는 속세야 말로 수행하기에 가장 최적화된 '터'이며 공간이라고 생각합니다. 인연의 끈을 놓지 못함에 대한 핑계일 수도 있겠습니다. 하지만 여전히 세상 속에 존재하고 싶고 이 일을 하면서 더 많은 깨달음을 배워가고 있습니다. 그리고 지금은 알게 되었습니다. 인연의 끈을 놓는 것보다 인연의 끈을 유지하는 것이 더 어렵고 험난한 일이라는 것을요. 지금 저의 삶은 누군가에게 보여주기 위한 삶도 아니며 제가 스스로 선택한 저의 '생'입니다. 그러나 묵묵히 계속 살아나갈 이 삶은 스님께 드리는 그때 편지에 대한 화답입니다. 늘 저를 어여삐 여겨주시고 아껴주시는 침묵의 애정을 느끼고 있습니다. 오래전 제 배움의 길을 응원해주신 거대했던 은혜와 그 마음을 잊지 않고 있습니다. 저의 현재는 당신께 고요히 건네는 안부이기도 합니다. 생각하시는 것보다 훨씬 더 오랜 세월을 이 생에 머물다 가주시기를 세상 속에 사람들 속에 살고 있는 딸이 염원합니다. 언제나 사모하는 스님의 평안과 건강을 기원합니다. 늘 감사합니다. 늘 고맙습니다. 깊이 애정합니다.

그리고 이 책을 읽고 계신 당신. 그래요. 이 페이지를 보고 계신 바로 당신. 제 글을 알알이 마음에 가져가시는 당신. 여기에 제 온 마음과 진심을 꾹꾹 눌러 담아 넣어두었습니다. 부디 꼭 받아 가시기를. 저와 잠시 이별할 지금 이 순간. 슬픔보다 희망과 믿음이 일렁이기를. 그리고 당신의 눈앞에 지나갈 생명들이 사랑스러워 보이게 되기를 두 손 모아 기도합니다. 고맙습니다. 감사합니다. 함께 지켜주셔서. 애정합니다. 서글프며 고독했을 이 우주에 찬란한 당신을 잠시나마 만나게 해주셔서.

새벽의 푸른 공기 속에서
시월의 어느 날, 윤 집사

〈커피타는 고양이〉는
고양이를 사랑하고 아끼는
모두를 위한 카페이자 쉼터다냥.
우리 모두 이곳에서 사랑하고 보듬으며
행복하게 살아가자옹.

- 카페에서 우다다 중인 42냥이 및
뒤치다꺼리 중인 냥집사 일동 -

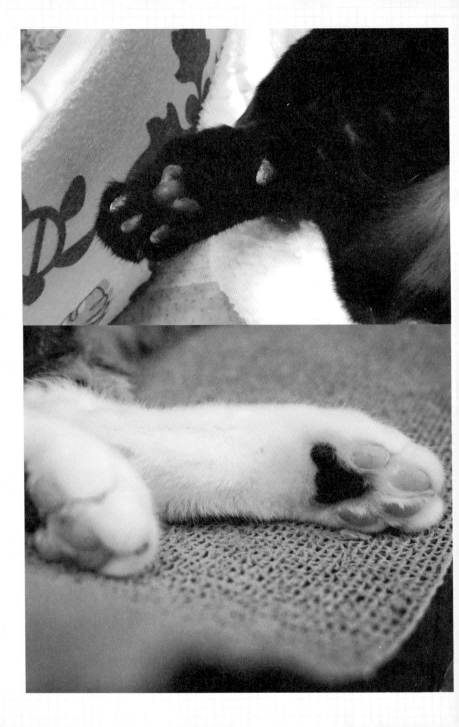

라인석 CONTACT 2015

어느 날 불현듯 만난 어떤 고양이가 지금의 성격과 상태에 이르게 된 원인과 이유가 궁금해지고 그 이유를 알게 되거나 느끼게 되는 때. 바로 그 순간 내가 '움직일 이유'가 거기서부터 시작된다. 이것은 사람에게도 여지없이 적용된다.

그가 어떤 삶을 살아왔는지 궁금해지는 그때 그 순간. 그를 향한 마음은 이미 시작되고 있다. 당신이 알거나 혹은 모르거나 그 여부와 전혀 상관도 없이.

바로 그 순간. 우리가 움직여야 할 근간이 되는 '삶의 이유'가 시작된다고 나는 생각한다. 그리고 그것은 곧 당신의 삶을 바꿀 것이며, 어떠한 고난과 역경 속에서도 올곧게 헤쳐 나갈 용기와 의지를 줄 것이다.

　벼랑 끝에서 알게 된 진실이 있다. 바로 '그때 그 순간'이 모이고 모여 그것이 곧 나의 '모든 것'을 이루게 된다는 것.

　이 글을 함께 읽을 당신의 삶이 그런 찬란한 순간들로 가득하기를 간절히 기원해본다. 그리고 언제나 당신의 삶 가까이 어디에선가 나 역시, 당신과 함께 이 생을 살아내고 있음을 나의 온 마음과 온 힘을 기울여 전하고 싶다.

　바로 지금 이 순간.

- 10월의 한가운데에서
당신을 응원하는 윤 집사

커피타는 고양이

초판 1쇄 발행 · 2015년 11월 10일

지은이 · 윤소해
펴낸이 · 이지연
펴낸곳 · 책들의정원
표지사진 · 김연주
본문사진 · 윤소해&천희주

출판신고 · 2015년 1월 14일 제2015-000001호
주소 · (121-869) 서울시 마포구 월드컵북로6길 53 402호
문의 · (070) 7853-8600
팩스 · (02) 6020-8601
이메일 · books-garden@naver.com

ISBN 979-11-955859-3-9 03810